ÉNERGIE ET RÉFLEXOLOGIE

DU MÊME AUTEUR:

- *Découvrons la réflexologie,*
  Les Éditions de Mortagne, Boucherville, 1980.

- *La réflexologie du cerveau,*
  Les Éditions de Mortagne, Boucherville, 1988.

- *Affiche Réflexologie des mains et des pieds,*
  Les Éditions de Mortagne, Boucherville, 1986.

- *Pochette Réflexologie,*
  Les Éditions de Mortagne, Boucherville, 1989.

- *Affiche Auriculothérapie,*
  Les Éditions de Mortagne, Boucherville, 1989.

MADELEINE TURGEON

avec la collaboration de
Michèle Lafrance

ÉNERGIE ET RÉFLEXOLOGIE

la polarité à votre portée

Édition
Les Éditions de Mortagne
250, boul. Industriel, bureau 100
Boucherville (Québec)
J4B 2X4

Diffusion
Tél.: (514) 641-2387
Téléc.: (514) 655-6092

Dépôt légal
Bibliothèque nationale du Canada
Bibliothèque nationale du Québec
3e trimestre 1985

ISBN: 2-89074-197-4

10 11 12 13 - 85 - 97 96 95 94

Imprimé au Canada

TABLE DES MATIÈRES

I- HISTORIQUE

II- NOTONS FONDAMENTALES EN POLARITÉ

IV- POLARITÉ DES GESTES DE LA VIE QUOTIDIENNE

REMERCIEMENTS

Je remercie sincèrement tous ceux qui m'ont aidée et encouragée dans la rédaction de ce livre. Je remercie spécialement:

* France Boivin pour la révision consciencieuse et joyeuse du texte;

* Micheline et Daniel Giroux pour leur patience et leur compétence à dactylographier le manuscrit;

* Marcel Fortier pour la pureté et la beauté des dessins;

* Gilles-André Dubuc pour la présentation originale de la page couverture;

* Jean Drouin pour sa préface stimulante et dynamisante;

* Michèle Lafrance pour sa collaboration à la rédaction du manuscrit;

* Tous les participants à mes ateliers de réflexologie qui, grâce à leurs nombreuses questions, m'ont permis de pousser ma recherche toujours plus loin.

Avis aux lecteurs!

Il faut connaître et respecter les lois de la respiration qui régissent chacun de nos actes si nous voulons les effectuer avec un minimum d'efforts et un maximum d'efficacité. Lire n'échappe pas à cette règle. Pour que la lecture de ce livre (ou de tout autre texte) vous soit plus facile et plus agréable, inspirez quand vous lisez: vous aspirez ainsi les mots vers vous et vous en comprendrez mieux le sens; expirez pendant les pauses: vous aurez alors le temps de graver le texte dans votre mémoire. Cette alternance rythmée entre inspiration et expiration permet aux deux hémisphères de votre cerveau de travailler de façon équilibrée et harmonieuse.

Chaque fois que vous lisez, souvenez-vous de respecter cette règle toute simple, mais combien efficace.

Bonne respiration... et bonne lecture!

Préface

À UNE CONSPIRATRICE DU VERSEAU

Le concept de l'holisme fut introduit par un philosophe sud-africain, Jan Christian Smuts, en 1926 comme un antidote au réductionisme analytique des sciences du temps. C'est donc un système philosophique global qui considère toute vie, et chaque aspect de nos vies individuelles, comme les parties d'un système complexe d'énergie en interaction. Depuis les années '70, l'holisme (souvent associé à l'énergie des «enfants du verseau») atteint la politique, l'économie, la science et la médecine. Un défi de taille se pose alors: comment évaluer cette «énergie» avec nos méthodes scientifiques cartésiennes. La réponse est dans l'homme et à l'expérimentation sur soi de cette réalité énergétique. Bien sûr, il y a l'effet Kirlian qui objective par photographie les points d'acupuncture et le microscope électronique pour étudier la cellule dans son intimité face à des manipulations énergétiques mais les analyses seront toujours stériles si l'intégrité de l'homme (émotionnel, mental, spirituel) n'est pas respectée.

La santé holistique suscite et respecte la capacité de chacun de participer à sa guérison en devenant le partenaire actif de son évolution énergétique.

Ce concept favorise donc une réduction du stress, l'éducation du client, la promotion de la santé et la prévention des maladies.

Ce qui caractérise la médecine holistique, ce n'est pas une technique en soi mais la «façon», le «comment» on utilise la technique.

Ainsi, ce volume de Madeleine s'inscrit-il dans ce concept d'énergie polarisée (yin-yang-négatif-positif). Au fil des lignes, nous découvrirons l'énergie, le corps et ses manifestations musculaires pour terminer par les gestes simples de la vie quotidienne.

Bravo pour cette réussite, car rendre accessible des systèmes millénaires (acupuncture et hindouisme védique) relève de l'«énergie pure...»

Jean Drouin, m.d.

INTRODUCTION

La santé se maintient ou se rétablit en équilibrant l'énergie qui anime l'être humain. Cette énergie se manifeste dans la matière vivante et inanimée sous deux aspects antagonistes mais complémentaires, appelés **yin** et **yang** dans la culture orientale et force négative et force positive dans la culture occidentale.

La «conscientisation» de la dualité de la force négative et de la force positive est obligatoire si nous voulons réaliser en nous la santé du corps, la paix du coeur, la sagesse de l'intelligence et l'évolution spirituelle.

Toute matière dans l'univers est soumise à cette loi de dualité. Toute la chaîne de vie est polarisée, c'est-à-dire que chacun de ses maillons présente deux pôles de nature contraire. En étudiant cette chaîne qui commence par les particules atomiques, passe par les règnes minéral, végétal et animal, ainsi que par l'espèce humaine, et se termine avec les planètes, les étoiles, les systèmes solaires, les galaxies, nous constatons que chacun de ces phénomènes matériels se manifeste concrètement à nos sens sous l'action de ces deux forces opposées mais complémentaires.

Du microcosme (l'infiniment petit) au macroscome (l'infiniment grand), nous ne pouvons que constater, sans l'ombre d'un doute, la loi omniprésente de la polarisation de la matière en deux pôles de nature contraire.

Rien n'y échappe! Tous les facteurs de bonne santé reconnus depuis toujours contribuent à notre bien-être par le biais de la polarisation. Il y a, ainsi, dans l'alimentation deux catégories d'aliments: les aliments acides (positifs) et les aliments alcalins (négatifs); l'eau que nous absorbons se compose de molécules d'hydrogène (négatives) et d'oxygène (positives); les exercices physiques (positifs) alternent avec les périodes de relaxation, de détente et de massages (négatives); la lumière du soleil (positive) est suivie de la lumière réfléchie de la lune (négative); l'air respiré renferme des ions positifs et des ions négatifs. Même les émotions et les pensées sont groupées sous des étiquettes positives et négatives.

J'ai décidé d'écrire ce livre pour partager avec vous l'immense satisfaction intérieure que m'apportent la connaissance et l'application de la réflexologie polarisée. Grâce à des études approfondies en naturopathie, en réflexologie, en programmation neuro-linguistique, en toucher thérapeutique (ou kinésiologie) et en polarité, j'ai accumulé de nombreuses données que j'ai envie de vous transmettre.

Ces données ont une grande portée pratique pour chacun de nous puisque toute la vie quotidienne est polarisée. Le moindre geste, la moindre parole et même la pensée la plus fugitive déclenchent une réaction énergétique qui oscille du pôle négatif au pôle positif, selon la nature des éléments qui ont provoqué ce mouvement de l'énergie.

Ainsi, courir est un geste positif puisqu'il est émetteur d'énergie... actif... moteur... Il faut commencer la course du bon pied, c'est-à-dire utiliser le pied droit d'abord puisque celui-ci est considéré comme positif tandis que le pied gauche est négatif. Donc, avant de recevoir un massage, demandez au masseur de commencer par le côté gauche du corps, car ce côté est négatif, c'est-à-dire réceptif tandis que le côté droit est émetteur.

Si vous êtes épuisé après avoir lavé un plancher, c'est que souvent vous avez dispersé à tous vents votre énergie (ᗡᗷ) plutôt que de l'avoir concentrée par des mouvements circulaires appropriés (ᗢ). Avis aux intéressés(ées)!

Chacune de nos activités provoque automatiquement le déclenchement d'une énergie polarisée. Nous devons donc harmoniser notre vie en respectant l'ordre cosmique bipolaire pour atteindre la santé intégrale.

Fort heureusement, notre instinct millénaire nous pousse à utiliser la bonne polarité, mais il arrive que nous exécutions maladroitement des mouvements qui perturbent l'équilibre précaire des deux forces constituantes de l'univers, présentes en chacun de nous.

Je désire vous aider à prendre conscience de l'extraordinaire richesse des gestes de la vie courante. L'humble action prend ainsi une saveur et une couleur uniques qui contribuent au maintien d'un état de bien-être incomparable. Si d'aventure la fatigue et la maladie vous frappent, prenez le temps de vous demander quel facteur de santé a été mal utilisé afin de rétablir votre équilibre énergétique par l'application de la réflexologie polarisée. Visez d'abord à prévenir la maladie, mais sachez que, si vous y faites face, vous pouvez presque toujours en atténuer les symptômes ou encore la vaincre grâce aux nombreux moyens que vous propose ce livre, comme par exemple:

— le massage des points réflexes

— la vérification et l'harmonisation des méridiens par la kinésiologie (toucher thérapeutique)

— le respect des lois énergétiques qui régissent les mouvements de la vie quotidienne.

Toute la théorie développée dans ce livre repose sur deux idées maîtresses. D'une part, il y a l'acupuncture avec son concept oriental d'une énergie vitale circulant à travers le corps, sur des parcours bien définis appelés méridiens. Avec l'essor considérable que connaît l'acupuncture depuis quelques décennies en occident, il faudrait être de mauvaise foi pour nier la réalité de l'existence d'un circuit d'énergie décrit et utilisé par les Chinois depuis des millénaires.

D'autre part, il y a la tradition hindoue-védique originaire de l'Inde. Vieille de six mille ans, elle est associée à l'enseignement bouddhique tibétain. Ces traditions indienne et tibétaine nous enseignent une médecine basée sur la compréhension des forces de la nature où toute matière créée est un réservoir d'énergie polarisée. Lorsque l'homme tombait malade parce que l'équilibre des deux forces négative et positive était rompu en lui, il retrouvait la santé en ayant recours à des arômes et des aliments appropriés, au yoga, aux mandalas*, aux mantras** et à la méditation.

Il faudrait être de mauvaise foi, là aussi, pour balayer du revers de la main un apport culturel très important qui a su traverser les âges et qui resurgit partout dans notre société actuelle.

Forts de ces deux assises, nous partirons à la découverte de la réflexologie polarisée.

Dans les deux premiers chapitres de ce livre, vous trouverez d'abord les notions fondamentales de polarité sur lesquelles s'appuiera la réflexologie. Je ne ferai pas l'étude systématique des aspects anatomique et physiologique de chacun des systèmes du corps puisqu'elle a déjà été faite dans mon premier livre **Découvrons la Réflexologie**. Cependant, vous trouverez, dans ce

---

* **mandala:** dessin symbolique, et souvent symétrique, qui vise la communication entre la partie consciente et la partie non consciente de l'être.

** **mantra:** mot-semence qui permet, par la répétition, de dépasser le mental.

deuxième livre, des schémas de réflexologie révisés, améliorés et plus précis, ainsi que des tableaux synoptiques faciles à consulter qui vous permettront de retrouver très rapidement les points réflexes reliés à vos problèmes de santé.

Dans le troisième chapitre, je vous expliquerai comment utiliser la kinésiologie. Elle vous donnera accès à une quantité illimitée d'informations concernant votre circuit d'énergie. Grâce à des vérifications musculaires simples, vous apprendrez à connaître l'état énergétique de chacun des méridiens et à les équilibrer par les boucles de méridiens. Vous verrez aussi comment utiliser le toucher thérapeutique pour trouver les points réflexes à masser et connaître les vitamines, minéraux, aliments, couleurs, vêtements, etc., qui conviennent le mieux à chacun.

Le quatrième chapitre constituera un réservoir merveilleux où vous pourrez puiser mille et une suggestions qui rendront votre vie quotidienne facile, reposante et agréable. Grâce à l'étude de la polarité des gestes de la vie quotidienne (se lever, marcher, manger, respirer, embrasser, monter un escalier, etc.), vous économiserez vos énergies afin de vibrer de vie et de pouvoir semer la joie, la sérénité et l'harmonie autour de vous.

Chapitre I

HISTORIQUE

L'ordre universel:

L'univers obéit à des lois précises et ordonnées. Cet univers, infini et toujours en mouvement, embrasse tout: chaque être, chaque phénomène; c'est une unité totale en perpétuel changement qui se manifeste partout et à tout moment.

Sans connaître les principes de l'ordre universel, il est impossible d'accéder à un bon état de santé, à la paix, à la justice et au bonheur, d'abord sur le plan personnel, ensuite sur les plans familial, social, national et mondial. Il faut aussi tenir compte du fait que les médias nous bombardent d'informations négatives (émeutes, grèves, vols, catastrophes naturelles, etc...). Nous considérons souvent ces événements comme injustes et cruels, mais, dans cet univers infini, tout — absolument tout — se déroule selon un ordre *rigoureux*. Donc, tout phénomène déclenché par la mise en mouvement de certaines énergies se réalise d'une façon bien précise. C'est la relation de cause à effet. Nous récoltons selon la nature de notre semence.

Temps anciens:

Ces principes de l'ordre universel ont été perçus à différentes époques de l'histoire de l'humanité et répandus en différents lieux, tissant ainsi la trame commune et universelle des grands courants scientifiques, médicaux, philosophiques, ésotériques et religieux.

Le respect de l'ordre universel et éternel dans la vie quotidienne fut enseigné par Fou-Hi, Lao-Tseu, Confucius, Bouddha, Mahomet, Moïse, Jésus et bien d'autres grands hommes du passé.

Dès le premier chapitre de la Genèse, nous lisons: «Au commencement, Dieu créa le ciel et la terre.» Cela signifie que l'Un infini se polarise en deux forces complémentaires et antagonistes: l'une positive et l'autre négative. Puis, de cette polarisation, naît le monde des vibrations (la lumière et les ténèbres), les particules préatomiques (haute atmosphère terrestre), le règne minéral, le règne végétal et, finalement, le règne animal duquel est sortie l'humanité représentée par Adam et Ève.

En tout, sept étapes de développement appelées les sept jours de la création. L'existence de chacune de ces étapes est liée à la précédente, dans une immense spirale de vie. Ainsi, le règne animal dépend du règne végétal pour sa survie et le règne végétal puise ses éléments nourriciers dans le règne minéral; le mouvement atomique du règne minéral vient du mouvement en spirale de particules préatomiques telles que les électrons et les

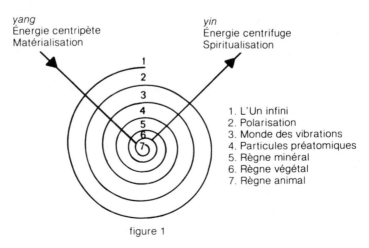

figure 1

protons qui, eux-mêmes, ont pour origine les ondes de vibrations de l'énergie. Ces vibrations sont toujours polarisées en énergie positive et en énergie négative et prennent naissance dans l'Un infini.

Le mouvement centripète (qui se rapproche du centre) de la spirale conduit à la manifestation physique et matérielle, tandis que le mouvement centrifuge (qui éloigne du centre) conduit à l'Un infini.

Il y a une trentaine de siècles, un philosophe chinois très sage, Fou-Hi, interpréta, dans un livre intitulé «Yi King», les transformations successives que subissent tous les phénomènes. Le Yi King — ou livre des mutations — est un livre d'actualité bien utile aujourd'hui, car son langage binaire (— trait plein positif et ––trait brisé négatif) est éternel. En combinant deux à deux ces traits, nous obtenons quatre configurations:

et, en ajoutant un troisième trait à chacune d'entre elles, nous produisons huit «trigrammes».

montagne   terre   eau   ciel   lac   feu   tonnerre   vent

Dans l'ancienne Chine, on considérait que les huit trigrammes représentaient toutes les situations humaines et cosmiques. On leur associait les quatre saisons, les points cardinaux, les membres de la famille et de nombreuses autres images tirées de la nature et de la vie sociale.

Observez les huit trigrammes disposés en cercle selon l'ordre dans lequel ils furent engendrés. Commen-

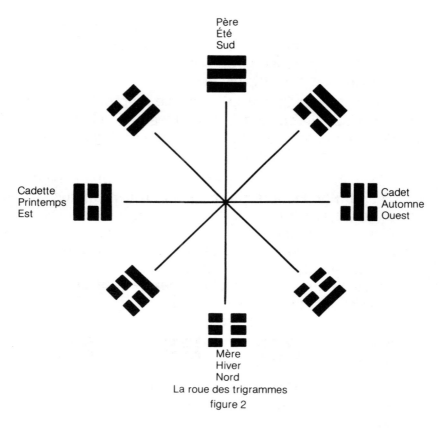

Père
Été
Sud

Cadette
Printemps
Est

Cadet
Automne
Ouest

Mère
Hiver
Nord
La roue des trigrammes
figure 2

cez par le haut (endroit où les Chinois situent toujours le sud) et notez la symétrie des trigrammes opposés qui ont permuté leurs traits négatifs et positifs.

Les huit trigrammes symboliques représentent des états transitoires en perpétuel changement. Il faut considérer le processus de transformation comme l'aspect primordial de la création où les formes symétriques et les structures créées par ce processus sont secondaires.

Afin d'augmenter le nombre des combinaisons possibles, les huit trigrammes furent combinés par paires formant soixante-quatre hexagrammes. Chacun se compose de six traits pleins ou brisés et l'ensemble est disposé généralement des deux façons suivantes:

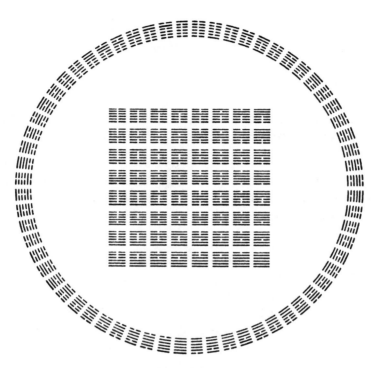

Deux dispositions régulières des soixante-quatre hexagrammes.

Figure 3: 64 hexagrammes

Notez, dans la disposition circulaire, que les hexa-grammes opposés offrent la même symétrie que dans les trigrammes opposés, chaque trait étant permuté en son contraire.

Ces traits sont considérés comme mutables; l'un se transforme en l'autre, les traits pleins se dilatant et se brisant et les traits brisés se contractant et s'unifiant.

Voici un exemple: l'hexagramme 40 nommé la *délivrance* et composé du trigramme supérieur, *le tonnerre* ≡≡ et du trigramme inférieur, *l'eau* ≡≡ donne l'image de *la foudre* en haut, qui agit sur *la pluie* en bas et signifie la fin d'une tension, la délivrance et la détente.

Mille ans plus tard, le roi Wen et son fils, le duc de Tchéou, en plus de prévoir l'avenir, car le Yi-King est à l'origine un jeu divinatoire, interprétèrent chaque hexagramme en ajoutant des conseils précis pour la conduite à tenir lorsque les oracles prédits se réalisaient. S'il est bon de connaître les événements à venir, **il vaut encore mieux savoir quelle attitude adopter**.

Confucius (cinq siècles av. J.C.), et bien d'autres sages chinois, gardèrent le dépôt sacré de cette tradition, appelée confucianisme et taoïsme, pour nous permettre de puiser aujourd'hui dans ce trésor qu'est le Yi-King.

Si vous désirez améliorer votre santé, vos finances, vos amitiés ou votre spiritualité, posez clairement la question qui vous préoccupe et, à l'aide de pièces de monnaie ou de baguettes d'achillée, composez l'hexagramme qui, en quelques minutes, vous indiquera où votre problème se situe entre les deux pôles extrêmes ▬ ▬ négatif et ▬▬▬ positif. Puisque des lois précises gouvernent le processus de transformation qui conduit d'un pôle à l'autre, vous pourrez prévoir ce qui arrivera si vous adoptez une conduite bien définie.

J'ai passé des heures délicieuses à étudier en profondeur les hexagrammes du Yi-King et mes sources préférées ont été, dans l'ordre:

— Hadès, L'approche de soi et la divination par le Yi-King, Éditions Bussières, Paris, 1980.

— Duc, Maîtrisez votre avenir grâce au Yi-King, Éditions Garnier, Paris, 1981.

— Wilhelm, Richard, Yi-King, Librairie de Médicis, Paris, 1973.

La philosophie indienne védânta, source du bouddhisme et de l'hindouisme, nous enseigne aussi le principe de l'Un infini différencié en mâle (Shiva) et en femelle (Shakti). Ce même principe universel est révélé dans le shintoïsme japonais, dans les mythologies grecque, romaine, scandinave et sumérienne.

La pensée de Jésus a son origine traditionnelle dans le judaïsme et se rapproche de la philosophie de l'Extrême-Orient ancien. La plupart des méthodes de guérison utilisées par Jésus et ses disciples l'étaient également dans l'Extrême-Orient ancien. Ainsi, l'imposition des mains — technique de polarité par excellence — était une pratique répandue et courante dans le Japon ancien.

Volontairement, je n'entre pas davantage dans la vie de Jésus afin d'éviter, avec certains, une polémique inutile et je me contente de dire que Jésus fut l'un de ceux, sinon celui, qui s'approcha le plus de la compréhension parfaite des mécanismes de l'univers.

Les grands courants religieux et philosophiques du passé ont illustré cette différentiation de l'Un infini en deux forces antagonistes et complémentaires par de nombreux symboles variés.

figure 4

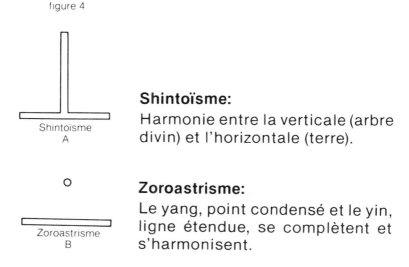

Shintoïsme
A

Zoroastrisme
B

Shintoïsme:
Harmonie entre la verticale (arbre divin) et l'horizontale (terre).

Zoroastrisme:
Le yang, point condensé et le yin, ligne étendue, se complètent et s'harmonisent.

Judaïsme
C

Judaïsme:

Harmonie entre le yang (triangle avec la pointe vers le haut) et le yin (triangle avec la pointe vers le bas). Symbole de Dieu tout-puissant.

Taoïsme
D

Taoïsme:

Yang et yin alternent dans une ronde sans fin.

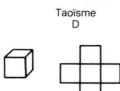

Christianisme
E

Christianisme:

Les faces du cube forment la croix. La verticale d'énergie yang s'unit à l'horizontale d'énergie yin.

Bouddhisme
F

Bouddhisme:

L'énergie yang de la verticale et l'énergie yin de l'horizontale tournent selon le cycle des incarnations.

G
Hermétisme

Hermétisme:

Les énergies yang et yin du caducée s'entrecroisent pour donner la vie.

Les temps modernes:

Plus près de nous, de nombreuses personnes s'appuyèrent sur la dialectique yin-yang pour élaborer des théories parmi les plus importantes pour l'évolution de l'humanité.

Albert Einstein (1889-1975), dans sa théorie de la relativité, nous fait prendre conscience que matière et énergie sont deux termes qui désignent la même réalité.

Les japonais George Oshawa (1892-1966) et son disciple, Michio Kushi, grâce à une manière de vivre appelée «macrobiotique» («macro» signifie grand et «bio» signifiant vie), ont aidé des milliers d'individus à atteindre une conscience élargie d'eux-mêmes et de leur environnement. On entend par la pratique de la macrobiotique la compréhension des principes de l'ordre de l'univers et leur application dans notre vie. Sont inclus dans cette pratique le choix judicieux de nos aliments, la façon de les préparer et de les manger, ainsi que l'orientation positive de nos émotions et de nos pensées.

Dans son livre **Le tao de la physique**, version française du grand succès américain **The Tao of Physics**, Fritjof Capra, physicien, fait un parallèle entre la pensée des physiciens modernes et celle des mystiques. «La physique moderne envisage le monde infra-atomique de façon analogue aux philosophies orientales, en insistant sur le mouvement, le changement et la transformation et en considérant les particules comme des phases transitoires dans un processus cosmique ininterrompu.»

Fritjof Capra, à la suite de plusieurs autres tels que le neurophysiologiste Karl Pribram de Saint Anford et David Bohm, un disciple d'Einstein, parlent de l'univers holographique. L'hologramme, invention de la physique moderne, a la propriété remarquable d'enregistrer l'ensemble des informations concernant un objet en chacun de ses points; ainsi, si cet objet est brisé, chacun de ses morceaux est capable de reconstituer l'image entière. L'ensemble du codage existe en tout point de la substance.

Cette notion moderne de l'univers holographique rejoint l'expérience mystique. Selon Sri Aurobindo: «Rien n'est jamais fini pour l'intelligence supérieure, elle s'appuie sur le sentiment du tout est dans tout et réciproquement.»

Une description ancienne de la réalité holographique se trouve dans un sutra hindou: «On dit que dans le ciel d'Indra existe un treillis de perles disposé de telle manière que, si vous en regardez une, vous y voyez le reflet de toutes les autres. De la même façon, chaque objet du monde n'est pas seulement lui-même, mais comprend tous les autres et est véritablement tout le reste.»

Quand un grain de sable bouge, tout l'univers bouge! Cette notion de relations mutuelles, où tous les phénomènes et les événements sont en interaction, nous porte à réfléchir et à découvrir que tous nos gestes, nos regards, nos paroles, nos émotions et nos pensées sont polarisés et déclenchent obligatoirement des réactions dans le monde énergétique.

Jean Charon, physicien et ingénieur français, fait entrer de plain-pied le concept d'Esprit et d'énergie dans la physique moderne. L'espace-temps est divisé schématiquement en deux régions situées de part et d'autre d'une ligne horizontale.

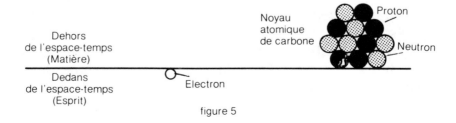

figure 5

Tout ce qui est au-dessus de la ligne de démarcation est visible et plus généralement accessible à nos organes des sens. Tout ce qui est en-dessous de la ligne de démarcation est directement accessible à l'Esprit, mais seulement indirectement accessible à nos organes des sens.

La Matière et l'Esprit n'ont pas d'interaction directe, c'est-à-dire qu'un objet situé en-dessous ne peut pas passer au-dessus. Mais, entre les objets situés de part et d'autre de la ligne, des interactions indirectes, appelées interactions virtuelles par les physiciens, se produisent. Par exemple, si vous vous regardez dans un miroir, vous ne pouvez pénétrer dans l'espace derrière le miroir parce que c'est un monde virtuel. Cependant, vous constatez que si vous souriez, votre image virtuelle, dans la glace, sourit aussi. Il y a donc une influence indirecte entre votre monde et le monde virtuel apparaissant dans le miroir.

Ainsi, toujours d'après Charon, l'espace-temps matériel dans lequel nous vivons est en miroir avec l'espace-temps spirituel, c'est-à-dire que là où nous pouvons nous déplacer en tous sens dans l'espace matériel, l'espace spirituel renfermé dans l'électron n'emmagasine que dans une direction les informations reçues et n'en perd jamais aucune. Merveilleux, n'est-ce-pas?

Le temps matériel va pour tous dans une direction linéaire, du passé vers le futur, sans possibilité de retour en arrière. Inversement, le temps spirituel va dans toutes les directions, en nous laissant le libre choix de retourner en arrière, grâce à la mémoire, ou de découvrir le futur par la prémonition.

L'Esprit est libre dans le temps, mais non dans l'espace, alors que notre corps physique matériel est libre dans l'espace, mais non dans le temps.

Le monde électronique, qui renferme l'Esprit, a quatre interactions avec lui-même: la connaissance, l'amour, la réflexion et l'acte.

«Ce qui est en haut est comme ce qui est en bas». Cela signifie que les lois régissant le monde énergétique sont les mêmes que celles qui gouvernent le monde matériel, avec la différence que les deux mondes ont des polarités inversées (ce que j'appelle «l'effet miroir»). Pour comprendre le monde énergétique, il suffit de connaître le monde matériel et, par analogie, le monde énergétique se révèle à nous.

Le docteur Randolph Stone est à l'origine de la technique de la «Polarité». Né en Autriche, en 1890, il émigra très jeune aux États-Unis, où il se spécialisa en ostéopathie, en naturopathie et en chiropractie. Durant sa longue pratique privée, de 1914 à 1972, il poursuivit sa formation en herbologie, en réflexologie, en massages orientaux et occidentaux et en acupuncture.

Bien qu'inspiré grandement par l'oeuvre du docteur Stone, ce livre contient de nombreuses techniques inédites que j'ai eu le bonheur de découvrir et d'expérimenter lors des ateliers que j'ai animés (boucles de méridiens, polarité des gestes quotidiens, harmonisation des merveilleux vaisseaux, etc...).

Grâce à la réflexologie, la polarité, la naturopathie, la kinésiologie (toucher thérapeutique) et l'acupuncture, j'ai tissé le canevas sur lequel j'ai basé ma vision de la santé holistique (totale). Par la suite, après avoir étudié un grand nombre de techniques très diverses tels la programmation neuro-linguistique, l'aromathérapie, le Yi-King, le tarot, la numérologie, la chromothérapie, etc., un nouveau paradigme (cadre de pensée qui permet de comprendre et d'expliquer certains aspects de la réalité) a surgi en moi.

Un nouveau paradigme met en évidence un principe qui avait toujours existé, mais qui n'avait pas encore été reconnu. Il inclut l'ancienne conception comme une vérité partielle et, par sa perspective plus large, réconcilie le savoir traditionnel et les nouvelles observations.

Actuellement, mon nouveau paradigme se résume ainsi: tout dans l'être humain, et dans son environnement, est polarisé et, par la compréhension et l'application des principes de la réflexologie polarisée, nous pouvons atteindre la santé holistique.

Chapitre II

NOTIONS FONDAMENTALES EN POLARITÉ

Principes de base de l'ordre universel:

Les notions théoriques suivantes vous serviront beaucoup dans votre pratique de la réflexologie polarisée. Laissez-vous prendre au jeu et vous en serez largement récompensé.

La base philosophique de l'ordre de l'univers est tirée du Tao (la voie de la Nature) et se résume ainsi: «Tous les phénomènes sont inter-reliés, relatifs, émetteurs et récepteurs d'énergie et se déroulent dans un espace infini et dans un processus de transformation sans fin.»

George Ohsawa, fondateur de la macrobiotique, résume ainsi les lois qui régissent l'ordre universel:

1. Toute chose est une différenciation de l'Un infini.
2. Tout change.
3. Tous les antagonistes sont complémentaires.
4. Il n'y a rien d'identique.
5. Tout ce qui a une face a un dos.
6. Plus grande est la face, plus grand est le dos.
7. Tout ce qui a un commencement a une fin.

Puisque l'Un infini se manifeste en deux tendances complémentaires et antagonistes — yin et yang, dans un changement sans fin — il nous faut connaître les attributs de chacune de ces deux énergies.

Énergie Yin et Yang:

Le yin représente la force centrifuge ou la tendance vers l'expansion; le yang représente la force centripète ou la tendance vers la contraction. Yin attire yang et vice-versa. Yin repousse yin; yang repousse yang. Yin et yang produisent ensemble les phénomènes en se combinant en des proportions variées. Il n'y a rien qui ne soit purement yin ou purement yang, car toute chose existe en vertu de l'union des deux tendances, en proportions variées. Il n'y a rien d'absolument neutre, car en **tout** temps, la balance pèse plus du côté yin ou du côté yang.

Lorsque la force d'expansion (yin) atteint sa limite, cette force change de direction et commence à se contracter. De façon analogue, au moment où la force de contraction (yang) atteint sa limite, elle commence à se dilater. Toutes les structures physiques et matérielles sont yang au centre et yin à la surface.

Procédons par analogie pour mieux comprendre. Un accumulateur d'automobile (souvent appelé «batterie») fonctionne tant que le potentiel entre ses deux polarités reste différent. Dès que les deux polarités atteignent un équilibre parfait, l'accumulateur est mort et il cesse de produire de l'énergie.

C'est la tendance qu'ont ces deux polarités de potentiel différent à rechercher l'équilibre énergétique qui crée un flux d'énergie produisant la vie (vie = mouvement).

Classification des éléments matériels et de l'énergie, leur tendance yin — yang:

	Yin	Yang
Poids	Léger	Lourd
Température	Froid	Chaud
Lumière	Sombre	Brillant

	Yin	**Yang**
Humidité	Humide	Sec
Densité	Moins dense	Plus dense
Taille	Grande	Petite
Allure	Dilatée et fragile	Contractée et dure
Forme	Allongée	Courte
Texture	Molle	Dure
Planète	Vénus	Mars
Luminaires	Lune	Soleil
Sexe	Femelle	Mâle
Climat	Nordique	Tropical
Structure organique	Creuse, dilatée	Compacte, condensée
Nerfs	Plus périphériques	Plus centraux
Récoltes*	Été	Automne
Position	Extérieure et périphérique	Intérieure et centrale
Éléments	Oxygène, potassium, calcium, etc.	Hydrogène, sodium, magnésium, lithium, etc.
Environnement	Terre, eau	Air, feu
Particules atomiques	Électron	Proton
Aliments	Fruits, lait, sucre, etc.	Viandes, poissons, oeufs, etc.
Force	Centrifuge	Centripète
Tendance	Expansion	Contraction
Rôle	Dispersion, décomposition	Concentration, fusion
Mouvement	Lent	Rapide
Vitesse	Freinage	Accélération
Direction	Ascendante	Descendante
Respiration	Inspiration	Expiration

---

* Les fruits et les légumes cueillis l'été ont plus d'eau (yin) que ceux cueillis l'automne.

	Yin	Yang
Attitude	Réceptive, passive	Émettrice, active
Couleurs	Bleu, indigo, violet	Rouge, orange, jaune
Nombres	Pairs (2,4,6...)	Impairs (1,3,5...)
Saveurs	Douce, sucrée	Salée
Vibrations	Onde courte et haute fréquence	Onde longue et basse fréquence
Dimension	Espace	Temps

Tous les êtres vivants et objets inanimés, sans exception, pourraient s'ajouter à cette liste forcément incomplète, car tout — absolument tout — existe en fonction de la recherche constante d'équilibre entre les deux forces opposées.

La proportion de yin et de yang de toute chose varie constamment, de telle sorte que chaque chose se change finalement en son opposé; ainsi, la nuit suit le jour, le repos suit l'action, la paix suit la guerre, le froid de l'hiver suit la chaleur de l'été, la matière devient de l'énergie et l'espace devient le temps.

Les termes de yin et de yang, qui décrivent les tendances relatives des phénomènes, se doivent d'être pris au sens large. Ainsi, par la cuisson (yang) des légumes (yin), l'eau (yin) s'évapore, les sels minéraux se condensent et les aliments rétrécissent; ils deviennent plus yang que des légumes crus. Cependant, les légumes cuits sont plus yin que les produits animaux crus (yang).

La connaissance de ces lois éternelles nous permet de prévoir et d'harmoniser notre vie plutôt que de la subir.

Attention! la structure de la matière et l'énergie sortant de la matière ont des polarités inversées. Ainsi, la terre est à la fois positive et négative; elle est positive si l'on considère sa structure, c'est-à-dire sa masse dure et compacte mais négative si l'on tient compte de l'énergie centrifuge qui sort d'elle et prend de l'expansion en se dispersant dans l'espace.

De la même façon, le foie, qui est un organe plein, est positif dans sa structure, mais négatif dans son énergie. Au contraire, la vésicule biliaire, qui est un organe creux, est négative dans sa structure, mais positive dans son énergie puisqu'elle concentre la bile pour tout l'organisme. Tout autre objet matériel pourrait servir d'exemple pour illustrer cette loi universelle de l'inversion de la polarité entre l'énergie et la matière.

Cet effet miroir est une cause majeure de la confusion, des mésententes et des guerres qui existent dans notre société. Très souvent, des points de vue, en apparence opposés et antagonistes, peuvent devenir complémentaires et harmonieux si l'on sait comprendre que les opinions émises par certains dépendent de leur façon de voir les choses.

Vous pourrez souvent réconcilier des idées et des choses diamétralement opposées, si vous pensez à «l'effet miroir» existant entre l'énergie et la matière. Ce qui est en bas est comme ce qui est en haut. Le bas (la matière) est soumis aux mêmes lois que le haut (l'énergie) **mais** le passage entre le bas et le haut se fait **toujours** avec une inversion de la polarité.

L'énergie se déplace du centre à la circonférence (énergie centrifuge) et de la circonférence au centre (énergie centripète). L'énergie centrifuge quitte le centre (feu central, source de l'existence et de l'essence de toutes choses) pour créer, en se répandant en des myriades d'étincelles électriques. Le retour de cette énergie à sa source se produit grâce à la force centripète, attractive et magnétique.

La réalisation de l'unité — ou l'équilibre des deux forces opposées — est le but ultime visé par la matière.

Ces deux forces s'opposent sur la surface mais elles sont unies au centre. L'attraction interne des centres subtils de cette Unité invisible et la répulsion externe des deux forces antagonistes activent la surface et lui permettent d'être le champ de la manifestation matérielle visible.

Les deux forces opposées ont donc leur origine dans un centre commun où elles s'unissent. Cependant, en surface, elles se stimulent l'une l'autre en se résistant et en cherchant à atteindre, entre elles, un équilibre énergétique afin de créer une nouvelle unité.

Il faut admettre que ces oppositions (jour — nuit, homme — femme, été — hiver, blanc — noir, épreuves — joies, etc...) constituent la manière choisie par le Créateur pour amener l'homme à élargir son champ de conscience par la recherche constante de l'équilibre des contraires.

Ces oppositions, qui mettent notre énergie à l'épreuve, ne s'opposent qu'en apparence et à la surface des choses, tandis que dans leur centre commun, c'est la paix et l'harmonie.

Je suis profondément convaincue qu'il en est ainsi à tous les niveaux: physique, émotif, intellectuel et spirituel. Il faut s'entraîner à accueillir tous les problèmes comme étant une belle occasion de mieux comprendre les deux forces antagonistes de l'univers. Cette meilleure compréhension, en élevant notre degré de conscience et en nous faisant entrer dans le centre commun des deux contraires, nous apporte la solution du problème à résoudre. Tout problème possède une solution et tout problème a un cadeau à nous offrir.

Les deux pôles négatif et positif, reliés par une force neutre, agissent dans toute la Création sans exception. Ces forces comprennent l'énergie positive (l'action, la lumière et l'intelligence), l'énergie neutre (la vérité, la sagesse et la paix) et l'énergie négative (l'amour, l'intuition et la matérialisation).

Toute chose procède de cette triade et toute chose a un centre neutre causal, un pôle négatif ainsi qu'un pôle positif et actif qui régissent les formes et les structures matérielles.

Le centre est l'arbre de vie, la source de la matière; c'est le royaume de la vérité et de la Super-Conscience ou du psychisme. Le pôle positif est le domaine de l'action en général et celui de l'activité de la conscience; tout corps matériel est ainsi lié à l'action. Le pôle négatif est celui qui a un effet cristallisant; c'est ici le monde du subsconcient qui fixe, par la répétition, les automatismes et les habitudes de l'être.

Le centre est le lien des tourbillons d'idées et de l'énergie globale non encore polarisée. Le pôle positif conduit à l'action pour l'action ou pour le besoin de s'exprimer, besoin propre à tous les êtres. Le pôle négatif est aussi lié à l'action, mais c'est ici l'action pour les fruits de l'action (les sensations agréables, les richesses matérielles, le confort physique, les honneurs et la gloire).

Illustrons l'interaction de cette triade (énergies neutre, positive et négative) par l'exemple d'une réalisation architecturale. Dans une première phase, l'architecte dessine les plans où il illustre les formes idéales à atteindre (énergie causale et neutre de la Super-Conscience). Dans une deuxième phase il passe à l'action: il achète et assemble les matériaux nécessaires (énergie positive de la conscience) afin d'atteindre la troisième phase qui consiste évidemment à construire et à réaliser dans la matière le plan initial (énergie négative du subconscient qui construit et répare notre corps).

Nous sommes donc dans la Matière et poussés obligatoirement à l'action. Comment faire pour nous échapper de cette prison matérielle? La tradition indienne donne ce conseil d'une grande sagesse à celui qui veut se libérer de l'esclavage de la Matière: «Agis sans être attaché aux fruits de l'action!» Ce qui signifie: accomplis ton oeuvre de ton mieux et laisse les résultats (qu'ils te plaisent ou non) entre les mains de l'énergie universelle.

Les principes de base de la polarité appliqués au corps:

Le corps humain, tout comme la terre, possède un pôle nord et un pôle sud. Les principes électro-magnétiques, qui régissent la nature, déterminent aussi la circulation d'énergie dans le corps humain.

Les traits situés le plus près du corps sont reliés à la température. Le trait plein (—) est associé à la chaleur et au yang. Le trait coupé (––) est associé au froid et au yin.

Les traits les plus éloignés du corps sont reliés aux niveaux d'énergie du corps; le trait plein (—) est associé au niveau externe et superficiel et le trait coupé (––), au niveau interne et profond.

- La partie supérieure du corps, la tête, possède une charge positive: charge générale positive et locale positive. (═══)
- La partie inférieure du corps, les pieds, possède une charge négative: charge générale négative et locale négative. (═ ═)
- Le côté droit a une charge positive générale et une charge négative locale. (══)
- Le côté gauche a une charge négative générale et une charge positive locale. (═══)
- L'avant du corps a une charge générale négative. (——)
- L'arrière du corps (le dos) a une charge générale positive. (___)

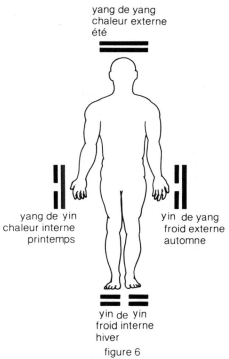

yang de yang
chaleur externe
été

yang de yin
chaleur interne
printemps

yin de yang
froid externe
automne

yin de yin
froid interne
hiver

figure 6

Résumons-nous:

Yin (--)	Yang (—)
Pieds	Tête
Avant	Dos
Côté gauche	Côté droit
Intérieur du corps	Surface du corps

Cela vous permet de comprendre que si vous devez utiliser beaucoup d'énergie musculaire (énergie positive et active), vous procédez dans l'ordre suivant:

Très forte:	le dos (la région la plus forte du corps)
Forte:	le côté droit
Peu forte:	le côté gauche
Très peu forte:	l'avant du corps.

Au contraire, si vous désirez ressentir et percevoir ce que les sens ont à vous apporter (énergie négative et réceptive), vous utilisez dans l'ordre:

Très réceptive: l'avant du corps
Réceptive: le côté gauche
Peu réceptive: le côté droit
Très peu réceptive: le dos.

Ces notions théoriques prendront pour vous une importance capitale lorsque vous aborderez les sections concernant la réflexologie polarisée et la polarité des gestes de la vie quotidienne.

Séance de réflexologie polarisée:

Définition:

La réflexologie est une technique de massage de points réflexes situés principalement sur les pieds, les mains et la tête. Elle vise à rétablir l'équilibre de l'énergie vitale de toutes les glandes et de tous les organes du corps. La réflexologie devient polarisée lorsqu'on effectue le massage successivement sur les points réflexes des pieds (pôle négatif), des mains (pôle neutre) et de la tête (pôle positif).

Objectif d'une séance de réflexologie polarisée:

Le but ultime, visé par l'application de la réflexologie polarisée, est d'équilibrer l'énergie corporelle. Lorsque cette énergie est équilibrée, le système nerveux est relaxé, les muscles sont détendus et les os sont retournés à leur place. Vous avez ainsi dynamisé votre corps et vous sentez mieux l'énergie qui y circule. Vous retrouvez la sagesse primitive endormie à l'intérieur de vous-même, ce qui vous permettra de mieux vivre dans votre corps, d'élever votre niveau de conscience et de faire progresser sans cesse votre spiritualité.

Souvent, la réflexologie polarisée permet d'éliminer certaines douleurs sans médication. Les douleurs d'origine physique ou émotionnelle sont l'expression de la stagnation de l'énergie et la réflexologie polarisée, de par son essence, débloque cette congestion énergétique et supprime ainsi la sensation douloureuse.

Les personnes les moins équilibrées obtiendront les résultats les plus remarquables, tandis que les personnes en bonne santé se sentiront en paix et détendues.

Faites confiance aux forces de la vie qui savent mieux que quiconque s'orienter à l'intérieur de votre corps et y provoquer des changements bénéfiques.

Préparation de la séance de réflexologie polarisée:

Atmosphère de la pièce:

La salle où la séance se déroule doit être calme, chaude et confortable. Veillez à ce qu'on ne vous dérange pas. Une musique douce s'avère souvent très agréable.

Vêtements:

Le receveur et le donneur portent des vêtements amples. Le receveur enlève ses souliers et ses bas pour que le donneur soit directement en contact avec lui et le donneur retire ses souliers afin de se sentir plus à l'aise.

Le donneur et le receveur enlèvent tous les objets métalliques qui les touchent (bijoux, pièces de monnaie, montre, clés, etc.), car le métal interfère avec la transmission des forces vitales.

Hygiène:

Comme le donneur a un contact étroit avec le receveur, il doit porter des vêtements propres, avoir les ongles courts, les cheveux noués et les mains propres (il doit les laver à l'eau tiède savonneuse avant la séance).

Table de massage ou fauteuil confortable:

Une table conçue spécialement pour le massage est idéale pour faire une séance de réflexologie. Elle permet au donneur de se déplacer facilement autour du receveur et de faire certains massages sans fatigue. Si vous achetez une table de massage, tenez compte de sa hauteur, de sa largeur, de sa solidité (certains adultes sont assez lourds) et de son poids (désirez-vous la transporter à l'occasion?).

Si vous utilisez un fauteuil, choisissez-en un avec un appui-pieds. Les pieds étant surélevés, il sera plus facile de faire des massages. Si vous vous faites une séance de réflexologie polarisée à vous-même, appuyez le pied que vous voulez masser sur le genou de l'autre jambe (le pied gauche sur la jambe droite et vice-versa).

Donneur:

Celui qui donne la réflexologie polarisée se détend, centre son énergie dans le Hara*, surtout en prenant de bonnes respirations, et travaille dans une atmosphère de fraternité.

Le donneur doit observer la couleur, la température et le degré d'humidité de la peau, ainsi que le rythme respiratoire du receveur tout au long de la séance afin d'y noter le moindre changement: le corps a son propre langage et le donneur doit y être très attentif, c'est pourquoi les échanges verbaux doivent être réduits au minimum.

Receveur:

Nous pouvons tous, sans exception, bénéficier de la réflexologie polarisée. Cependant, les enfants semblent y être particulièrement réceptifs. Ils perçoivent souvent

---

* **Hara**: point d'équilibre, centre de gravité du corps, situé à 2,5 cm sous le nombril.

mieux que les adultes l'énergie vitale qui circule en eux. Il suffit souvent de peu de mouvements de réflexologie pour équilibrer leur organisme. L'heure du coucher est un moment propice pour exécuter quelques mouvements très simples qui les expédieront rapidement au pays des rêves.

Le receveur se détend complètement, grâce à des respirations nasales, lentes et amples.

Fréquence et durée:

Deux ou trois séances de réflexologie polarisée par semaine semblent être suffisantes pour vaincre une maladie chronique. Cependant, il est souvent possible, en une seule séance, de soulager le sujet d'une grande partie de ses douleurs et parfois même de toutes ses douleurs.

Chaque séance dure de trente à quarante-cinq minutes. Lorsque la santé du sujet s'améliore, une seule séance de réflexologie par semaine suffit pour fortifier l'organisme et l'amener à triompher des symptômes de sa maladie.

Lorsque vous pratiquez sur vous-même la réflexologie, consacrez-y de cinq à dix minutes par jour. Le matin, faites des mouvements qui stimuleront votre organisme (boucle du méridien gouverneur, danse des méridiens, massage des malléoles, des pieds, etc...) et le soir, facilitez votre détente et votre relaxation grâce à des mouvements appropriés (boucle du méridien central, polarisation des orteils et des doigts, etc...).

Soyez prudent! Le massage d'un point réflexe douloureux doit durer de une à deux minutes. Si vous le massez plus longtemps, vous y concentrerez trop d'énergie et certains circuits de votre réseau énergétique sauteront, créant ainsi un problème plus grave que le problème initial.

La durée et le nombre de séances peuvent varier selon l'âge du receveur. Pour les enfants et les personnes âgées, il est préférable de s'en tenir à des séances plus courtes et plus nombreuses que pour les adultes.

Pression et rotation:

L'énergie vitale circule dans tout le corps le long d'un réseau énergétique souvent congestionné par le stress, la mauvaise alimentation, les troubles émotionnels, etc... Le massage de certains points réflexes débloque l'énergie grâce à son action en profondeur.

La pression du massage varie selon l'âge du sujet. On doit exercer une pression moins forte sur les points réflexes des enfants et des personnes âgées.

L'énergie du corps circule à trois niveaux différents:

• Le premier niveau se situe à l'intérieur du corps et est appelé «niveau profond». Cette énergie profonde alimente surtout les organes internes et est activée par la réflexologie des pieds, des mains et de la tête. Pour bien agir sur ce niveau profond, il faut presser fermement tout en faisant des rotations. Les mouvements de rotation peuvent concentrer ou disperser l'énergie selon le sens donné à la rotation.

Concentrer l'énergie d'une zone consiste à amener l'énergie de l'extérieur de cette zone vers son centre. En disperser l'énergie consiste à emmener l'énergie de l'intérieur d'une zone vers l'extérieur de cette zone. En général, il faut concentrer l'énergie lorsque le problème de santé est chronique, c'est-à-dire lorsqu'il existe depuis des semaines, des mois et même des années. Par exemple, si vous avez une bursite à l'épaule gauche depuis un an, vous concentrerez l'énergie sur les points réflexes de l'épaule.

Au contraire, il faut généralement disperser l'énergie lorsque le problème de santé est aigu, c'est-à-dire qu'il vient tout juste de surgir. Par exemple si un enfant fait de la fièvre depuis quelques heures, il faut disperser l'énergie de la région réflexe de l'hypophyse, appelée parfois glande pituitaire. (Figure 8, page suivante).

Notez que le début du mouvement de rotation visant à concentrer l'énergie s'effectue vers la zone associée au centre du corps, c'est-à-dire vers la ligne verticale passant par le nez, les pouces et les gros orteils. (Figure 7, page suivante).

Le début du mouvement de rotation visant à disperser l'énergie s'effectue vers les zones associées aux côtés extérieurs du corps, c'est-à-dire vers les lignes verticales passant par les oreilles, les auriculaires et les petits orteils.

• Le deuxième niveau se situe à la surface du corps et est appelé «niveau superficiel». Cette énergie superficielle circule le long du réseau des méridiens et son équilibre dépend de la qualité de notre respiration et de nos gestes quotidiens. À ce niveau, le massage atteint les fibres musculaires et on doit l'effectuer en exerçant une pression moyennement ferme tout en faisant un mouvement de glissement qui respecte le sens de la circulation de l'énergie le long des méridiens. Par exemple, au sortir d'un bain, en essuyant l'intérieur du bras gauche, vous glissez de l'épaule jusqu'au bout des doigts, puis en essuyant ensuite l'extérieur du bras gauche, vous glissez du bout des doigts jusqu'à l'épaule.

Avez-vous des doutes sur l'importance de poser des gestes en harmonie avec le trajet des méridiens? Eh bien! observez le dessin suivant pour respecter leur trajet, car l'énergie des méridiens voyage à sens unique. Un mouvement, exécuté dans le sens contraire de l'énergie des méridiens, les déséquilibre pour environ dix secondes et la répétition de mouvements inharmonieux, pendant trois minutes, les déséquilibre pour plusieurs heu-

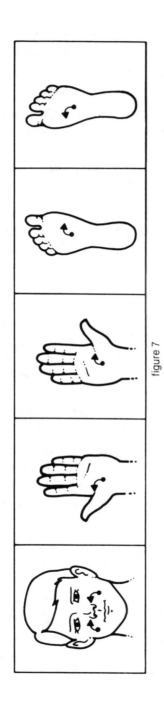

figure 7
Mouvements de concentration

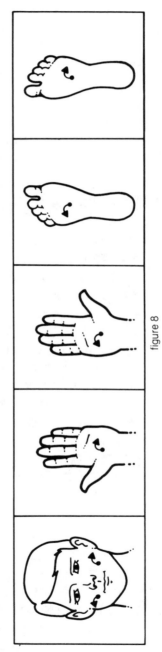

figure 8
Mouvements de dispersion

48

res. Incroyable, mais vrai! Vous pouvez vérifier le bien-fondé de ces affirmations au moyen de la kinésiologie (toucher thérapeutique) qui est expliquée dans la deuxième partie de ce livre.

• Le troisième niveau se situe à l'extérieur du corps et est appelé champ électro-magnétique par les scientifiques, ou aura* en ésotérisme. Cette énergie extérieure au corps peut être équilibrée par des balayages du champ d'énergie, qui se font en suivant les trajets des méridiens à une distance d'environ 10 cm, ou 4 pouces. Ces balayages du champ d'énergie sont actuellement enseignés et pratiqués dans plusieurs hôpitaux américains et dans de nombreux milieux québécois. Des examens de laboratoire ont prouvé l'efficacité de cette tech-

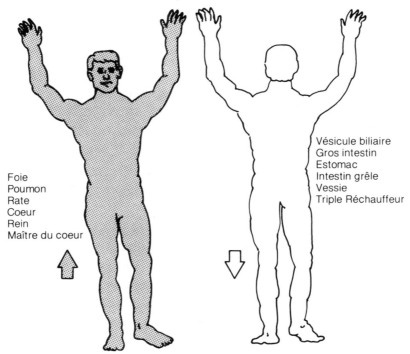

Foie
Poumon
Rate
Coeur
Rein
Maître du coeur

Vésicule biliaire
Gros intestin
Estomac
Intestin grêle
Vessie
Triple Réchauffeur

figure 9   Direction de la circulation de l'énergie dans les méridiens

* Le terme d'aura vient du grec et signifie brise légère.

nique appelée toucher thérapeutique. Attention! Il ne faut pas confondre le toucher thérapeutique — balayage du champ d'énergie — avec le toucher thérapeutique — kinésiologie.

Sons et couleurs influencent aussi notre champ d'énergie électromagnétique. La musicothérapie et la chromothérapie seront des voies à explorer dans les années à venir, si l'on désire équilibrer tous les niveaux d'énergie.

En résumé, lors d'une séance de réflexologie polarisée, il est bon de:

— Exercer d'abord une action sur le champ électromagnétique externe de votre hôte par la chaleur de votre accueil: alliez la puissance de votre regard, l'harmonie de votre voix et le calme de vos gestes (poignée de mains, tape sur l'épaule ou embrassade, selon le degré d'intimité existant entre vous et le receveur).

— Prendre ensuite contact avec le niveau superficiel d'énergie en glissant le long des méridiens pour réchauffer les pieds ou les mains, sans s'attarder à un point réflexe précis. Ces massages sont décrits dans la séquence d'ouverture de la séance de réflexologie.

— Masser en profondeur les points réflexes douloureux avec un mouvement de rotation qui concentre ou qui disperse l'énergie au besoin.

— Alterner entre le niveau profond (pression et rotation) et le niveau superficiel (pression et glissement), afin de répartir dans les méridiens l'énergie débloquée par le massage en profondeur des points réflexes.

— Compléter le massage par la séquence de fermeture qui exerce surtout une action sur l'énergie superficielle.

— Terminer la rencontre par un geste amical, des paroles réconfortantes et un regard d'encouragement.

Respiration:

Bien respirer est une des clés maîtresses de l'efficacité de la réflexologie polarisée. C'est elle qui établit des liens entre les différents centres du corps et stimule leurs vibrations. Quand on respire profondément, l'énergie passe de la tête au corps, du conscient à l'inconscient, de la compréhension à la mémorisation, de l'analyse à la synthèse, du centre à la périphérie et vice-versa. On passe de ce que l'on pense à ce que l'on sent.

La respiration doit suivre le mouvement ondulatoire de l'énergie. La vie primitive a débuté avec ce mouvement chez l'amibe, le poisson et le reptile; plus près de nous, le spermatozoïde se déplace avec des mouvements ondulatoires. Notre respiration nous permet donc de nous relier à ce mouvement fondamental de la vie. Cette dernière est faite de vagues, d'ondes, de vibrations, de pulsations, de rythmes à découvrir, à ressentir et à vivre harmonieusement.

Une respiration profonde et lente augmente de beaucoup l'efficacité de la séance de réflexologie polarisée. En observant le rythme respiratoire de la personne allongée sur la table de massage, le donneur peut recueillir de précieuses indications sur les effets de son traitement. Souvent, donneur et receveur synchronisent leur respiration.

Vous pouvez facilement sentir le flot de l'énergie vitale pénétrer en vous. Frottez vos mains ensemble pendant une minute tout en alternant bien l'expiration et l'inspiration. Éloignez-les maintenant l'une de l'autre d'une dizaine de centimètres. Joignez-les à nouveau, éloignez-les de deux à douze centimètres et trouvez à quelle distance vous percevez le mieux l'énergie qui s'en dégage. Elle se manifeste sous forme de picotements, de vibrations, d'une sensation de fraîcheur ou encore d'énergie magnétique. Pour augmenter l'intensité de cette perception, recommencez l'expérience en prenant des respirations plus profondes.

Attention ! Il faut toujours expirer au moment où on exerce une pression par glissement lors du massage de l'énergie superficielle et inspirer au moment où on relâche la pression. Procédez ainsi lorsque vous massez les points d'énergie profonde. Vous expirez lorsque vous pressez et exécutez des rotations et vous inspirez lorsque vous relâchez la pression.

À l'expiration, le donneur envoie plus d'énergie dans le bout de ses doigts, ce qui fait que ses mains ne ressentiront aucune fatigue pendant le massage. Quant au receveur, il sent diminuer la douleur dans ses points réflexes au cours du massage. À l'inspiration, donneur et receveur referont le plein d'énergie. Le donneur reste en contact avec le point réflexe, mais sans exercer de pression.

J'affirme que votre réflexologie sera de cinquante pour cent plus efficace si vous observez ce principe. Essayez et vous verrez ! S'il arrive aux donneur et receveur d'oublier que la pression doit s'exercer à l'expiration, leur corps se chargera de le leur rappeler. Le donneur éprouvera de la fatigue au niveau des doigts et le receveur sentira son point réflexe devenir plus douloureux.

Bien respirer, c'est dire oui à la vie ;
Bien respirer, c'est s'unir au rythme universel ;
Bien respirer, c'est marier le monde intérieur avec le monde extérieur.

Protection du donneur:

Le donneur doit prendre certaines précautions afin d'éviter de recevoir de l'énergie statique venant du receveur et de ressentir, dans son propre corps, parfois, les symptômes présents chez le receveur. Pour se protéger, le donneur affirme être un instrument au service de l'énergie universelle et il comprend bien qu'il n'est pas la source de cette énergie.

Le donneur termine toujours la séance de réflexologie de la façon suivante: il secoue d'abord fortement les mains à quelques reprises et il les lave ensuite à l'eau froide afin de se libérer de l'énergie statique, non orientée, qui s'y est accumulée. Cette énergie statique se manifeste sous forme de douleur, de pesanteur et peut même provoquer un certain gonflement des mains.

Finalement, il fait confiance à l'énergie qui sait comment s'orienter. Cependant, s'il ressent des sensations inhabituelles, il arrête l'expérience, secoue ses mains, attend quelques minutes et il respire, respire, respire.... Et tout rentrera dans l'ordre.

Réflexologie des pieds:

Examen préliminaire des pieds:

Si vous voulez exécuter efficacement un massage des points réflexes situés en profondeur, il est très important de ne pas utiliser de crème ou d'huile. Cependant, vous pouvez vous accorder ce plaisir à la fin du massage, lors de la séquence de fermeture. Vous pouvez saupoudrer les pieds humides de poudre de talc ou de fécule de maïs, si nécessaire. Gardez les ongles courts afin de ne pas égratigner la peau.

Quelquefois, vous trouverez, sur la plante des pieds du receveur, des **cors**, de la **corne** ou des **callosités** qui perturbent la communication entre les points réflexes et les organes associés à ces points. Ces problèmes sont souvent causés par un mauvais alignement de la colonne vertébrale ou des hanches. Si le problème est grave, il est suggéré de consulter un podiâtre qui enlèvera les cors et les callosités. Par la suite, un massage des points réflexes où se trouvaient les cors (etc.) permettra aux organes associés à ces points de retrouver leur énergie, ce qui empêchera la réapparition de ces problèmes, souvent même de façon définitive.

Si le problème n'est pas grave, vous pouvez vous débarrasser de la corne et des callosités. Prenez d'abord un bain de pieds chaud pour attendrir la peau. Puis, frictionnez ces zones avec les doigts, ou avec une pierre ponce mouillée, pour enlever les couches de cellules mortes. Terminez le traitement par l'application d'une huile ou d'une crème adoucissante. Vous pouvez, par exemple, utiliser de l'huile d'amande douce, de l'huile d'olive, de la crème à mains, de l'huile pour bébé, etc... Vous devez effectuer le traitement une fois par jour pendant environ une semaine pour que votre peau retrouve sa santé et sa belle apparence.

Un **oignon**, c'est l'inflammation et l'épaississement de la bourse séreuse d'une articulation des orteils, en particulier entre la première phalange du gros orteil et le métatarsien. Pour soigner un oignon, tirez légèrement le gros orteil et redressez-le avec la main d'appui. Avec le pouce de la main active, massez tout autour de l'oignon, puis directement sur lui. Répétez tous les jours, matin et soir. L'utilisation, pendant le massage, d'un peu d'huile de ricin à la température de la pièce, améliore les résultats.

L'**épine de Lenoir** est formée par une accumulation de substances minérales sur l'extrémité de l'os du talon appelé calcanéum. Bien qu'un peu douloureux au début, le massage de cette zone est très efficace pour en déloger les dépôts microscopiques et les remettre dans le flot sanguin d'où ils seront éliminés. Tous les jours, massez d'abord autour de l'épine en exerçant une légère pression et ensuite massez directement l'épine, en augmentant graduellement la pression.

Pour vous assurer que les pieds du receveur sont propres, nettoyez-les avec un tampon d'ouate imbibé d'alcool à friction ou d'eau d'hamamélis. L'eau d'hamamélis doit être diluée avec une quantité égale d'eau.

Contre-indications:

Évitez de faire une séance de réflexologie polarisée si vous êtes tendu, nerveux ou fatigué, car vous risquez d'échanger avec le receveur des énergies non souhaitables. Au contraire, si vous vous centrez bien dans votre hara et si vous comprenez que vous êtes un instrument qui canalise la force vitale, vous sortirez de la séance dynamisé et détendu. Détachez-vous de l'expérience et devenez observateur. Ne vous surprenez pas des réactions déclenchées par vos mains. Laissez-les venir à vous, observez le pouvoir de vos mains et respirez, respirez, respirez...

Évitez de masser des pieds qui ont des coupures, des gerçures, des éruptions cutanées, du pied d'athlète ou des verrues plantaires. Dans ces cas-ci, massez les zones réflexes de la main. Le pied d'athlète disparaît très souvent quand vous mettez sur les pieds une solution d'une cuillérée à thé de vinaigre de cidre de pomme dans une tasse d'eau. Séchez les pieds et appliquez-y une poudre asséchante comme de la fécule de maïs, de l'argile blanche ou même une poudre pour bébé.

Quant aux verrues de toutes natures, elles disparaîtront grâce à une application quotidienne d'huile de ricin mélangée avec de la vitamine E, matin et soir, pendant environ deux mois.

Séquence d'ouverture:

La séquence d'ouverture vous permet de prendre contact graduellement avec la personne en agissant d'abord sur son réseau d'énergie superficielle. Elle libère l'énergie bloquée dans les méridiens au niveau des extrémités (pieds, mains, tête) dans le but de favoriser une meilleure circulation générale de l'énergie.

Massage des malléoles:

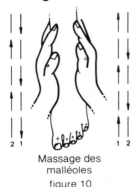

Massage des
malléoles

figure 10

Le massage des malléoles a pour but de faciliter le contact entre les méridiens situés le long des jambes. L'action stimulante de ce massage rend la somnolence, les étourdissements et évanouissements moins fréquents. Souvent même, elle les fait disparaître complètement.

Placez les paumes de vos mains sur les malléoles (os de la cheville) de la jambe gauche. Avec la partie inférieure de vos mains, exercez une légère traction sous les malléoles pour libérer les ligaments et les muscles de cette région de leurs tensions. *Maintenez* cette traction lorsque vous effectuez le massage. Commencez-le en remontant la main placée sur la malléole externe et en descendant simultanément la main placée sur la malléole interne. Le pied bougera de gauche à droite. Effectuez cet aller-retour pendant une dizaine de secondes, à trois reprises, pour le pied gauche d'abord et à trois reprises pour le pied droit ensuite.

Observez dans quel sens vont les flèches et vous constaterez que les mains travaillent *souvent* dans des directions opposées quand elles agissent sur l'énergie superficielle et ce, dans le but de respecter le sens de la circulation de l'énergie des méridiens.

Note: Il est très important d'accorder une attention particulière à votre respiration pendant ce massage. Pour accroître votre efficacité, inspirez avant de le commencer. Retenez votre respiration pendant la traction; expirez pendant que vous exécutez le massage et terminez en relâchant la traction lors de la rétention de la respiration. Dans la pratique, lorsque le mouvement est rapide, la rétention se confond avec l'inspiration et l'expiration.

Je vous invite à exécuter lentement et consciemment chacune des étapes des massages décrits dans ce livre afin de les graver dans votre mémoire kinesthésique. Cette mémoire du corps grave à long terme vos sensations et elle ne vous permet de les utiliser consciemment, intégralement et en temps opportun que si leur enregistrement s'est effectué lentement. En d'autres mots, l'exécution rapide et correcte d'un mouvement suit l'enregistrement lent et conscient de ses différentes étapes.

Si vous doutez de l'importance de respirer correctement au moment du massage, vous pouvez inverser les étapes de la respiration et voir ce qui en résultera. Pour comprendre les principes qui dictent cette façon de respirer, consultez la troisième partie de ce livre.

Vibrations des côtés du pied:

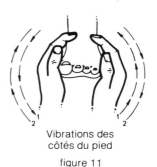

Le but visé par ces vibrations est de répandre, partout dans le pied, l'énergie des méridiens réveillée par le massage des malléoles, de faire disparaître les tensions musculaires et de calmer le système nerveux.

Vibrations des côtés du pied

figure 11

Mettez les paumes de vos mains en contact avec les métatarses situés sur les côtés du pied gauche. Inspirez, exercez une légère traction sur le pied et maintenez cette traction pendant le massage qui suivra. Vos mains font un mouvement de va-et-vient pendant que vous expirez; il en résulte que votre pied bouge d'un côté à l'autre. Arrêtez ce mouvement et relâchez la traction. Répétez trois fois. Refaites la même opération pour le pied droit.

Étirement du pied:

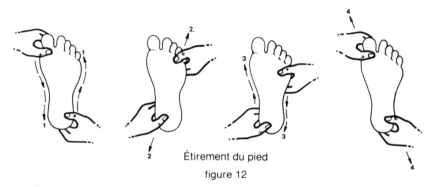

Étirement du pied

figure 12

Ce mouvement prépare le pied à recevoir un massage des points réflexes en profondeur.

Placez la main gauche sur le côté interne du pied gauche à la hauteur du gros orteil et la main droite sur le côté externe du pied, près du talon. Inspirez.

1. Glissez en descendant à l'intérieur du pied et en même temps montez la main à l'extérieur, tout en expirant.

2. Étirez le pied en diagonale en pressant avec les pouces (qui se dirigent vers l'extérieur) sur les orteils et le talon, tout en retenant brièvement votre respiration.

3. Inversez l'étape un, en glissant la main à l'intérieur du pied vers le gros orteil en même temps que vous descendez la main à l'extérieur vers le talon, tout en inspirant.

4. Continuez par un étirement en diagonale des orteils et du talon, au moment où vous retenez brièvement votre respiration.

Étirement de la colonne vertébrale (du pied):

Cet étirement débloque l'énergie emprisonnée dans la colonne vertébrale et la remet en circulation. Les zones, situées sur le côté extérieur du pied et associées au bras et à la jambe, s'en trouvent ainsi stimulées.

Étirement
de la colonne vertébrale
figure 13

Placez vos deux mains sur le pied gauche: les deux index se touchent et les pouces sont placés au milieu de la plante du pied. Amenez le pied en extension en exerçant une traction, puis effectuez une torsion en déplaçant simultanément la main droite vers le côté extérieur du pied et la main gauche, vers le côté intérieur du pied, tout en expirant. Effectuez un mouvement d'étirement en diagonale à l'aide des doigts de la main droite et du pouce de la main gauche. Faites une torsion en sens inverse en déplaçant simultanément la main gauche vers le côté extérieur du pied et la main droite vers le côté intérieur du pied, tout en inspirant. Étirez de nouveau en pressant surtout avec les doigts de la main gauche et le pouce de la main droite. Continuez la torsion jusqu'au bout du gros orteil. Arrêtez la traction. Répétez l'opération avec le pied droit.

Cet étirement de la colonne ressemble au mouvement que vous faites lorsque vous tordez du linge.

Balayage de l'index:

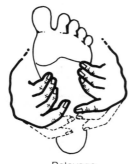

**Balayage
de l'index**

figure 14

Le balayage de l'index a pour but de défaire les noeuds de tension situés sur la plante du pied, afin d'améliorer la circulation de l'énergie superficielle et de libérer le diaphragme et le plexus solaire de leurs tensions.

Le méridien du rein, qui débute sous le pied, «retrouvera tout son courage» sous l'action de ce balayage.

Placez les pouces sur le cou-de-pied du pied gauche et les index sous le pied, près du talon. Placez les pouces, l'un contre l'autre, ainsi que les index. Laissez pendre les autres doigts sous la plante du pied.

Placez le pied en extension en faisant une légère traction. Commencez le balayage avec l'index droit, faites-le glisser en pressant à partir du centre vers le côté extérieur du pied, tout en expirant. Continuez en utilisant l'index gauche qui balaie de la même façon que l'index droit, tout en inspirant. Balayez jusqu'aux orteils et profitez-en pour les traire, les étirer, les dévisser (sans oublier de les revisser), les déployer en éventail et pour masser avec un doigt l'espace entre chaque orteil. Balayage de l'index et massage des orteils feront pousser au receveur de grands soupirs de satisfaction.

En balayant avec les index, attardez-vous sur la zone du diaphragme, car elle est la clé de la maîtrise des émotions, et sur celle des orteils, car elle régit les tensions intellectuelles. Terminez en relâchant la traction et en retournant le pied à sa position de départ. Le mouvement des index évoque le déplacement semi-circulaire des essuie-glaces d'une voiture.

Relaxation du diaphragme:

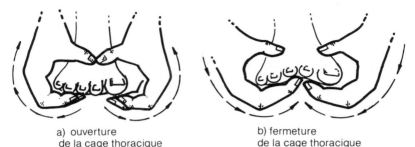

a) ouverture
de la cage thoracique

b) fermeture
de la cage thoracique

Relaxation
du diaphragme

figure 15

Le massage de la région réflexe du diaphragme vous libère d'un grand nombre de tensions émotionnelles, améliore la circulation sanguine entre le haut et le bas du corps et, de ce fait, régularise la tension artérielle. Excellent pour les personnes qui souffrent d'hypertension. Les points réflexes du cardia (ouverture de l'estomac) et du plexus solaire (réseau nerveux qui innerve une grande partie des organes abdominaux) se situent sur la région réflexe du diaphragme.

Vous pouvez utiliser de nouveau le balayage des index, technique décrite précédemment, pour produire une relaxation rapide du diaphragme.

Poursuivez en plaçant les pouces l'un contre l'autre sur le pied gauche et les doigts sous le pied, au centre de la région réflexe de la cage thoracique. Les index se rejoignent alors sur le milieu de la région réflexe du diaphragme. Placez le pied en extension et, pendant que vous expirez, *fermez* la région réflexe de la cage thoracique en éloignant les pouces l'un de l'autre, tout en tendant la peau du dessus du pied et en pressant. *Ouvrez* la région de la cage thoracique pendant que vous inspirez, en glissant les doigts qui vont vers les côtés du pied et qui poussent le pied en flexion vers le corps. Exercez ensuite une pression des pouces qui se rejoignent sur le dessus du pied. Fermez et ouvrez la région réflexe de la cage thoracique au moins trois fois. Faites la même chose pour le pied droit.

Façon de tenir le pied:

Il est nécessaire de tenir correctement le pied pour détecter tous les points douloureux et pour obtenir une efficacité maximale lors du massage des points réflexes. *Le rôle de la main qui tient le pied est de permettre à la main active d'exercer facilement les pressions et les rotations sur le pied*. Les deux mains travaillent comme un *système de levier*. C'est la main qui tient le pied qui donne *la puissance* à la main qui agit.

Les deux mains doivent toujours être en contact avec le pied et en circuit fermé l'une avec l'autre. (Les mains sont en circuit fermé lorsque les doigts d'une main touchent les doigts de l'autre main). Ceci est d'une importance capitale, car l'énergie circule rapidement d'une main à l'autre si les doigts se touchent ou sont près les uns des autres. *Dans les cas où vous n'arrivez pas à joindre vos mains parce que le pied du receveur est trop gros, gardez-les le plus près possible en circuit fermé*.

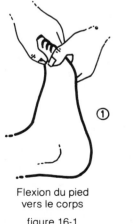

Flexion du pied
vers le corps

figure 16-1

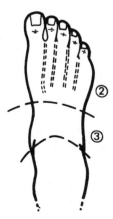

figure 16-2 et 3

Flexion du pied vers le corps:

Fléchissez le pied vers le corps, afin de pouvoir trouver où sont situés les points réflexes douloureux sur la plante du pied (1) et dans la région des métatarses (2). Cette étape précède nécessairement l'exécution du massage.

Cependant le massage de la région située sur le dessus du pied et sur ses faces latérales et comprises entre la cheville et les métatarses (3), s'effectue au moment de la flexion du pied.

Attention! La flexion sera plus complète et votre travail beaucoup plus efficace, si vous réalisez que ce sont les pouces ou les doigts, placés *sous* le pied, qui exercent la pression.

Amenez le pied en extension à l'aide d'une petite traction et maintenez-le dans cette position tout au long de votre massage des points réflexes sur la plante du pied (1). Cette extension libère la cheville de ses tensions et facilite le massage des fascia musculaires.

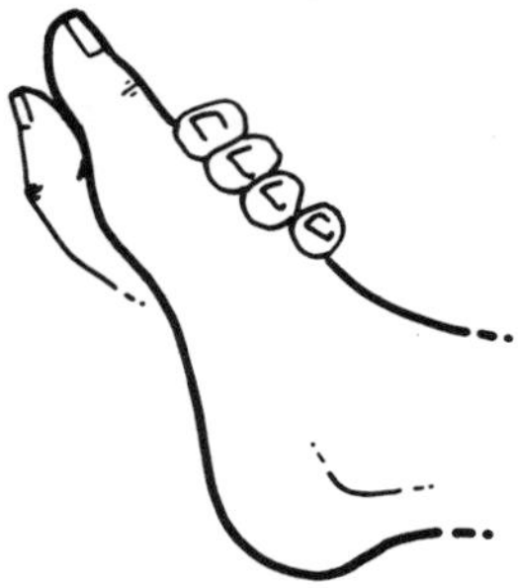

Extension du pied

figure 17

L'extension permet d'atteindre les points réflexes situés plus en profondeur et rend le massage aisé, efficace et sans fatigue pour les doigts. Remarquez que l'extension du pied sera plus complète et le massage beaucoup plus efficace si vos doigts, placés sur le pied, exercent une pression pendant que vos pouces travaillent.

L'extension du pied permet aussi le déblocage de l'énergie emmagasinée le long des métatarses situés sur le dessus du pied (2), grâce au massage effectué par les doigts.

Quant à la région comprise entre la cheville et les métatarses et située sur le dessus du pied et sur ses faces latérales, l'extension de celui-ci facilite grandement l'identification des points réflexes douloureux.

En résumé:

	Détection	Massage
(1) et (2) Dessous du pied et dessus du pied (métatarses)	Flexion	Extension
(3) Dessus du pied (région entre la cheville et les métatarses) et faces latérales	Extension	Flexion

Localisation des points réflexes douloureux des pieds:

Les points réflexes douloureux se situent toujours dans une dépression de la peau, petite concavité dans laquelle un de vos doigts glisse naturellement, ce qui vous permet de les détecter facilement.

Si vous n'êtes pas sûr d'avoir bien identifié les points réflexes douloureux, la douleur ressentie par le receveur lorsque vous pressez avec les doigts vous indiquera, sans l'ombre d'un doute, que vous ne vous êtes pas trompé. Cette douleur révèle presque toujours un déséquilibre énergétique qui affecte les tissus, les muscles, les os, les organes, les viscères, le sang ou la lymphe.

Faites confiance à la sagesse innée de vos doigts: ils savent souvent mieux que votre tête se diriger sur le bon point réflexe.

Une fois les points réflexes douloureux identifiés, vous savez quels organes souffrent le plus d'un blocage énergétique.

Attention, cependant! Deux situations extrêmes peuvent se produire: ou les pieds du receveur sont hypersensibles ou ils sont insensibles, bien que la personne connaisse des problèmes de santé.

Chez une personne relativement saine, un pied très sensible indique une grande tension nerveuse et une surcharge des méridiens. À la longue, elles affecteront le niveau profond organique du corps, si on ne remédie pas à la situation. En d'autres termes, pensez que c'est l'énergie superficielle du pied qui est la plus affectée lorsque le pied est très sensible. Vous équilibrerez cette énergie superficielle du pied par tous les mouvements de glissement le long des méridiens, en particulier par ceux décrits dans les séquences d'ouverture et de fermeture.

Une insensibilité marquée des pieds chez une personne ayant de sérieux ennuis de santé dénote une mauvaise circulation sanguine et énergétique, souvent accompagnée d'intoxication, ou un endommagement des terminaisons nerveuses. Il est bon quand même de masser régulièrement tous les points réflexes des pieds. Le pied redevient généralement sensible après quelques séances de réflexologie, quelquefois même après la deuxième. Vous pouvez alors détecter les points réflexes les plus douloureux et les masser. Cette insensibilité vient de l'emprisonnement de l'énergie profonde qui reste hors du champ de la conscience tant qu'elle n'atteint pas le niveau superficiel.

Notez bien que le diagnostic (l'étiquette apposée pour décrire le problème de santé) est réservé au médecin et que votre rôle consiste à diriger votre ami vers un praticien de la santé (naturopathe, chiropraticien, ostéopathe ou tout autre médecin ayant une vision holistique

de la santé), si vous constatez que le déséquilibre énergétique est devenu un problème organique.

N'utilisez donc jamais des étiquettes de maladies
pour qualifier les problèmes énergétiques, mais sachez
déterminer les régions du corps qui se trouvent en souffrance énergétique, car c'est dans ces régions que naî-
tront les problèmes organiques.

En résumé: ÉNERGIE SUPERFICIELLE = DOULEUR
           AIGUË
           ÉNERGIE PROFONDE = DOULEUR
           SOURDE ET DIFFUSE.

Les problèmes de santé sont d'abord — et presque
toujours — énergétiques ou fonctionnels, avant de devenir organiques (exception faite pour les blessures cau-
sées accidentellement).

Cherchez les points réflexes douloureux afin d'identifier les organes qui sont perturbés. Consultez, à la fin de
ce livre, les schémas illustrant les points réflexes des
pieds. Explorez d'abord la plante des pieds, puis ensuite
le dessus.

Plante des pieds:

Vous allez du talon vers les orteils lors du massage
de l'énergie superficielle; inversement, vous débutez par
les orteils du pied droit pour finir au talon lors du massage
des points réflexes situés en profondeur. Procédez selon
l'ordre suivant:

1. Zones réflexes associées à la tête (orteils).
2. Zones réflexes de la cage thoracique. Accordez une
   attention très spéciale à la ligne du diaphragme.
3. Zones réflexes des organes digestifs (foie, vésicule
   biliaire, estomac, pancréas, etc...) et des voies urinaires.
4. Zones réflexes des intestins et des organes génitaux.

5. Zones réflexes de la colonne vertébrale, en commençant par les cervicales et en longeant ensuite l'arête osseuse de l'arche du pied. Il est important d'effectuer le massage sur la couche musculaire en longeant l'arête osseuse, sans la toucher directement.

Cette arête osseuse délimite la frontière entre la plante et le dessus du pied. La région sous la ligne pointillée illustre la région réflexe des organes internes et est associée à l'énergie négative.

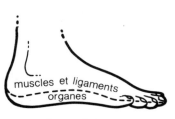

figure 18 a)

La région au-dessus de la ligne pointillée illustre la région réflexe des muscles et des ligaments et est associée à l'énergie positive. Masser chaque côté de l'arête osseuse à l'intérieur et à l'extérieur du pied, sans oublier le bout des orteils et le talon, procure une sensation de libération énergétique tout à fait spéciale, car vous agissez sur l'énergie neutre.

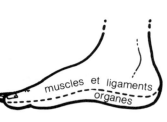

figure 18 b)

Après avoir repéré et massé les points douloureux sous la plante du pied droit, procédez de la même façon pour le pied gauche.

Dessus et faces latérales des pieds:

Contrairement à l'énergie superficielle qui circule du pied vers la cheville, l'énergie profonde du dessus du pied circule de la cheville vers les orteils. Lors de ce massage, procédez selon l'ordre suivant, en commençant par le pied droit:

1. Tendon d'Achille (rectum, nerf sciatique) et région située à un travers de main au-dessus de la cheville

(influence indirecte sur les muscles et nerfs du bassin et des cuisses).

2. Talon (organes génitaux et anus).

3. Articulation de la cheville (nerf sciatique, hanche, ganglions lymphatiques de l'aine, trompe de Fallope, canal déférent).

4. Zones réflexes de la paroi abdominale et région de la hanche, de la cuisse et du genou.

5. Zones réflexes de la cage thoracique.

6. Orteils (tête).

Au cours de la séance de réflexologie, si vous désirez mettre l'accent sur le massage des points réflexes en profondeur, vous commencez par le pied droit, en faisant d'abord quelques minutes de réchauffement. Au contraire, si vous désirez obtenir une grande détente grâce au massage superficiel, vous commencez par le pied gauche et terminez par le pied droit.

Gravez dans votre tête ce précieux résumé:

Énergie superficielle:	Début du massage	Fin du massage
Séquence d'ouverture et de fermeture	Pied gauche	Pied droit

Énergie profonde:		
Détection et massage des points réflexes	Pied droit	Pied gauche

Techniques de massage:

Exécution du massage sur la plante du pied:

Servez-vous de l'image de Pac Man, jeu électronique très populaire pour comprendre la façon idéale de faire les massages des points réflexes et pour les mémoriser. Pac Man gobe les petits points lumineux avec ses mâchoires; vous, vous vous servez de vos mains comme des mâchoires en massant les pieds.

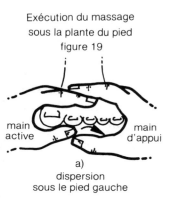

Exécution du massage
sous la plante du pied
figure 19

main active

main d'appui

a)
dispersion
sous le pied gauche

Placez la main active sur le pied et fermez le circuit autour du pied en plaçant, si possible, les doigts de la main d'appui sur ceux de la main active. Exercez une petite traction et amenez le pied en extension.

Pour masser les points réflexes situés sur la plante du pied, le pouce de la main active exerce une pression et fait des rotations qui concentrent ou qui dispersent l'énergie selon le besoin.

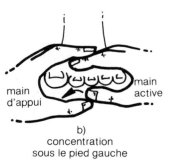

main d'appui

main active

b)
concentration
sous le pied gauche

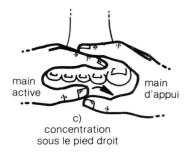

main active

main d'appui

c)
concentration
sous le pied droit

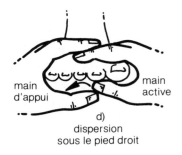

main d'appui

main active

d)
dispersion
sous le pied droit

69

Pour savoir dans quel sens faire la rotation, consultez la section «pression et rotation».

Pour masser les points réflexes situés sur les faces latérales et le dessus du pied, l'index de la main active exerce une pression et fait des rotations qui concentrent ou qui dispersent l'énergie, selon le cas.

Pour accroître l'efficacité de votre massage, prenez le temps de trouver et de masser *sur le pied* le point correspondant au point réflexe douloureux situé *sur la plante du pied*. Par exemple, si le point réflexe de la thyroïde situé *sur la plante du pied* est douloureux, massez bien cette zone. Puis, massez le point réflexe de la thyroïde, situé *sur le pied*. Il est important de se souvenir que le massage des points sur le pied sera facilité si vous placez d'abord le pied du receveur en flexion, vers le corps.

Vous constaterez que la main active devient la main d'appui si vous passez de la concentration à la dispersion. De plus, si vous changez de pied, la main d'appui devient la main active. Ainsi, on respecte le mouvement naturel des pouces et des index. Pour comprendre combien il est important de suivre ces indications, inversez volontairement les mouvements des mains et sentez à quel point le massage devient difficile.

Prenez aussi du temps afin de découvrir à quelle distance vous devez tenir vos deux mains l'une de l'autre quand elles sont placées en circuit plus ou moins fermé. Joignez-les et éloignez-les l'une de l'autre jusqu'à ce que vous ayez trouvé la façon idéale de les placer autour du pied. Travailler avec les mains en circuit fermé est très efficace, mais il n'est pas toujours nécessaire d'exécuter le massage en fermant complètement le circuit. Ainsi, même si vos mains ne se touchent pas, gardez-les le plus rapprochées possible et vous obtiendrez de très bons résultats.

La chenille:

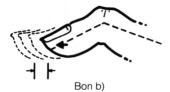

figure 20
La chenille

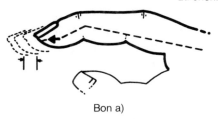

Bon a)

Bon b)

La technique de la chenille permet de couvrir des zones réflexes étendues (ex.: poumons, gros intestins, diaphragme) situées sur la plante du pied. Elle consiste à ramper avec le pouce ou l'index sur de petites distances, en pliant le pouce à un angle intermédiaire entre l'angle de 90 degrés et l'angle plat. Le succès de la chenille dépendra surtout de votre aptitude à plier et à déplier alternativement l'articulation du pouce, ce qui lui donnera un mouvement de reptation. La technique de la chenille sera d'autant plus efficace si vous n'oubliez pas d'utiliser vos doigts placés sur le dessus du pied comme support.

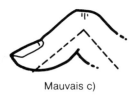

Mauvais c)

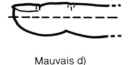

Mauvais d)

RAPPELEZ-VOUS TOUJOURS QUE LES DOIGTS QUI SUPPORTENT DONNENT LA PUISSANCE AU POUCE QUI TRAVAILLE.

Exécution du massage sur le dessus du pied:

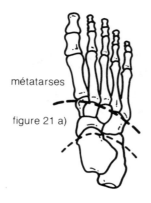

métatarses

figure 21 a)

La technique de massage sur le dessus du pied dépend de la structure osseuse du pied. Comme les os du pied, situés entre la cheville et les métatarses, sont rapprochés et ont une forme particulière, il vaut mieux effectuer le massage avec le pouce, en faisant les mêmes pressions et les mêmes rotations que pour la plante du pied.

Pour la partie supérieure du pied, placez les doigts entre les métatarses. Pressez et glissez, tout en expirant, et revenez ensuite au point de départ, tout en inspirant. Rappelez-vous toujours que l'énergie profonde du dessus du pied circule du cou-de-pied jusqu'au bout des orteils. Lorsque vous pressez sur le dessus du pied pour débloquer l'énergie profonde, il est très important de respecter le sens de cette circulation énergétique.

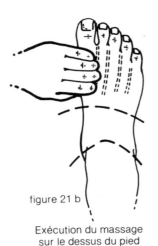

figure 21 b

Exécution du massage
sur le dessus du pied

Lorsque vous trouvez un point douloureux sur la plante du pied, vous pouvez chercher le point correspondant sur le dessus du pied. L'expérience a démontré qu'il était préférable de masser d'abord le point réflexe sous la plante du pied, puis celui sur le dessus, si l'organe correspondant est en hypoactivité. Par contre, si l'organe correspondant est en hyperactivité, vous massez d'abord le point situé sur le dessus du pied, puis celui sur la plante du pied.

Si, par exemple, le receveur a un thymus en hypoactivité, comme c'est le cas pour 95 % des gens, vous concentrerez d'abord l'énergie sur le point du thymus situé sous la plante du pied, puis vous masserez le point réflexe situé sur le dessus du pied.

Si un enfant est fièvreux, c'est que la région réflexe de son hypophyse (glande pituitaire) se trouve en hyperactivité. Cherchez d'abord le point réflexe sous le gros orteil (entre l'articulation du gros orteil et l'ongle) puis celui sur le dessus du gros orteil. Pour disperser l'énergie plus efficacement, commencez en massant le dessus du gros orteil, puis terminez en massant le point sous le gros orteil.

Si vous massez d'abord la plante du pied pour augmenter l'énergie d'un organe en hypoactivité, ou encore le dessus du pied pour disperser l'énergie d'un organe en hyperactivité, vous obtiendrez d'excellents résultats. Ils seront quand même bons, si vous massez seulement la plante du pied.

En résumé:

	Conditions	Rotations	Début du massage	Fin du massage
Hypoactivité d'un organe	Troubles chroniques	Concentration	Plante du pied	Dessus du pied
Hyperactivité d'un organe	Troubles aigus	Dispersion	Dessus du pied	Plante du pied

Si vous n'avez pas tout à fait compris comment il fallait procéder, laissez-vous guider par vos doigts: ils choisiront pour vous quel sens de rotation est le plus juste et le plus efficace.

Séquence de fermeture:

Le but de la séquence de fermeture est de permettre à l'énergie profonde débloquée lors du massage des points réflexes de se redistribuer correctement dans l'énergie superficielle des méridiens. **Vous avez tout intérêt à vous rappeler que pour supprimer la douleur qui subsiste quelquefois après le massage, il faut glisser les doigts sur le pied en suivant le sens des méridiens.** Cette douleur est provoquée par de l'énergie profonde amenée en surface et qui restera stagnante jusqu'à ce qu'elle soit remise dans le flot de l'énergie des méridiens. Exécutez ce glissement après le massage d'un point réflexe particulièrement douloureux. Vous utiliserez aussi le mouvement de glissement à la fin du massage des pieds, lors de la séquence de fermeture.

Exécution du massage sur la plante du pied
figure 22

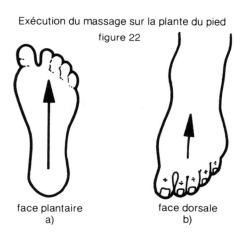

face plantaire
a)

face dorsale
b)

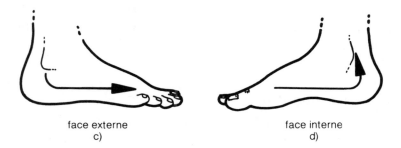

face externe
c)

face interne
d)

Cette séquence comprend les mêmes mouvements de massage que la séquence d'ouverture, mais ceux-ci s'exécutent de préférence dans l'ordre inverse, c'est-à-dire:

— relaxation du diaphragme
— balayage de l'index
— étirement de la colonne vertébrale
— étirement du pied
— vibrations des côtés du pied
— massage des malléoles.

En résumé:

• La séquence d'ouverture facilite le passage graduel de l'énergie superficielle à l'énergie profonde.
• La séquence de fermeture permet à l'énergie débloquée en profondeur de bien circuler dans l'énergie superficielle des méridiens.

Réflexologie des mains:

Examen préliminaire de la main:

Tenez la main gauche et observez-la bien. Vérifiez sa souplesse. Notez la température et la couleur de la peau, elles vous indiqueront si la circulation du sang est bonne ou non. Vérifiez les ongles pour voir s'ils ont:

des stries verticales: besoin de fer, de B_{12}, de protéines et d'acide chlorydrique

des stries horizontales: stress (date de trois mois si les stries sont au milieu de l'ongle). Besoin de calcium et de vitamines du complexe B

des taches blanches: besoin de zinc

une croissance lente: besoin de soufre, contenu

	entre autres dans les jaunes d'oeufs, et d'acides aminés, contenus dans les protéines en poudre.
ou s'ils sont cassants/fragiles:	besoin de vitamines A, D, E (vitamines liposolubles, i.e. solubles dans un corps gras) et de calcium.

Observez également les lunules (taches blanches, en demi-lune visibles à la racine des ongles). Elles sont le thermomètre des réserves énergétiques. Les personnes qui ont dix lunules hautes sont animées d'une véritable fureur de vivre, débordent d'énergie et semblent toujours être en état d'effervescence. Au contraire, si seuls les pouces ont des lunules, les personnes ont peu d'énergie vitale, se fatiguent très rapidement et doivent user de leurs forces méthodiquement. Les hommes possèdent, en général, de six à huit lunules, tandis que les femmes en possèdent habituellement de quatre à six.

Selon l'enseignement traditionnel de l'acupuncture, la santé des ongles dépend de celle du foie. On associe également le foie à l'oeil, à la marche, à la saveur acide, à la colère et à certains aliments comme le mouton, le millet, les fruits citrins et l'huile d'olive.

Pour avoir des ongles sains, vous pouvez aussi utiliser la chromothérapie (usage des couleurs pour fin thérapeutique). Une des manières les plus faciles de bénéficier des couleurs est d'exposer ses yeux régulièrement à la lumière du soleil, sans lunettes ou sans verres de contact qui bloquent l'entrée d'une partie du spectre solaire. Ce dernier renferme sept couleurs (violet, indigo, bleu, vert, jaune, orange, rouge).

Notez bien qu'exposer ses yeux au soleil ne consiste surtout pas à regarder directement le soleil avec ses yeux, ce qui pourrait provoquer la cécité. Il suffit simplement de sortir à l'extérieur pour profiter du soleil.

Prenez la bonne habitude de marcher régulièrement, de surveiller votre régime alimentaire et de boire en plus quelques tisanes bonnes pour votre foie, telles que la marjolaine, l'artichaut ou l'aubier de tilleul, si votre tension artérielle est au-dessus de 120, et le romarin, la lavande ou la prêle si votre tension artérielle est au-dessous de 120. Terminez le massage régulier de la zone réflexe du foie et le massage du cuir chevelu (voir plus loin, réflexologie de la tête), et vos ongles manifesteront une grande vitalité.

Séquence d'ouverture:

La technique de massage utilisée dans la main ressemble à celle utilisée sous le pied. Cependant, il est souvent plus facile de trouver les points réflexes douloureux sous le pied, à cause de la polarité négative de ceux-ci. Le massage des pieds libère une plus grande quantité d'énergie profonde que celui des mains et est plus efficace pour vaincre les problèmes chroniques.

De son côté, la main, à cause de sa polarité neutre, permet à l'énergie superficielle de communiquer avec l'énergie profonde. Le massage de ses points s'avère particulièrement efficace pour triompher des problèmes intermittents, c'est-à-dire des problèmes passagers qui se manifestent à intervalles irréguliers (exemple: une constipation qui dure quelques jours et qui disparaît pour revenir quelques semaines plus tard).

Retenons simplement qu'il est bon d'effectuer beaucoup de mouvements de massage superficiel dans la main et de compléter avec les points réflexes en profondeur. Il est très agréable de se faire masser la main par une autre personne. Dans la plupart des cas, cependant, vous vous masserez vous-même les mains. Cependant, si vous massez les points réflexes en profondeur, utilisez la gomme à effacer d'un crayon ou le bout arrondi d'un petit bâton.

Afin de mieux effectuer le massage de l'énergie superficielle lors des séquences d'ouverture et de fermeture, rappelez-vous toujours que l'énergie circule du poignet vers les doigts à l'intérieur de la main et des doigts jusqu'au poignet sur le dos de la main.

figure 23

face palmaire ·   face dorsale

Massage du poignet:

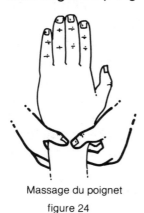

Massage du poignet

figure 24

Les flexions du poignet ont pour but de faciliter le contact entre les méridiens situés le long des bras. L'acuité intellectuelle s'aiguise, la mémoire se raffine et l'intuition s'intensifie parce que l'énergie se rend mieux à la tête. Les gens qui surmènent leur cerveau, «les grands penseurs», bénéficieront particulièrement des flexions du poignet.

Mettez vos pouces côte à côte et placez-les sur le dessus du poignet gauche, au centre de l'articulation et les index sous ce poignet, à la hauteur de l'articulation. Faites une petite traction et commencez le massage en fléchissant le poignet vers le haut: les pouces se déplacent quelque peu vers le coude et les index vont vers la paume. Faites le mouvement en sens inverse afin d'amener le poignet en extension vers le bas: les pouces vont vers la main et les index vers le coude. Pour comprendre cet exercice, pensez simplement au mouvement exécuté quand vous vous secouez les mains.

Après avoir massé le poignet avec les pouces placés au centre de l'articulation, massez-la graduellement, vers les côtés, en utilisant la même technique.

N'oubliez pas de maintenir la traction tout au long du massage afin de procurer au receveur un bien-être incomparable. De plus, commencez tous les mouvements de la séquence d'ouverture avec la main gauche (plus réceptive) et continuez ensuite avec la main droite (moins réceptive).

Friction et balayage de la paume:

La friction et le balayage de la paume envoient l'énergie débloquée par le massage du poignet dans les méridiens d'énergie négative situés à l'intérieur de la main.

La détente remarquable procurée par ce mouvement vient de la relaxation du plexus solaire et des surrénales. Ce mouvement calmera les personnes stressées et les conférenciers victimes du trac. La friction assèche les mains et les pieds excessivement humides et rend ainsi le massage plus facile et plus agréable. Une transpiration trop abondante signifie souvent que le corps a des toxines à rejeter.

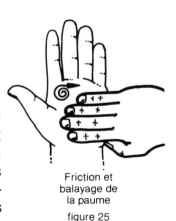

Friction et
balayage de
la paume
figure 25

79

Frictionnez la paume de la main en effectuant des rotations, et balayez les doigts en glissant jusqu'à leur extrémité. Répétez à quelques reprises en alternant friction et balayage.

Balayage de l'index:

Le balayage de l'index défait les noeuds de tension de la paume de la main et des doigts, ce qui améliore la circulation de l'énergie superficielle en général ainsi que celle du méridien associé à la circulation sanguine et aux organes génitaux en particulier (méridien du maître du coeur).

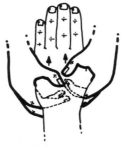

Balayage de l'index

figure 26

Mettez vos pouces côte à côte et placez-les sur le dessus du poignet gauche, au centre de l'articulation, et les index sous ce poignet, à la hauteur de l'articulation. Faites une légère traction sur le poignet, tout en inspirant. Commencez le balayage avec l'index droit qui glisse en pressant le long de la ligne du méridien maître du coeur (qui part près de l'épaule, sur la ligne médiane de l'intérieur du bras et va jusqu'au bout du majeur), tout en expirant. Balayez aussi ce méridien avec l'index gauche, tout en inspirant. Continuez ce balayage jusqu'aux doigts où il est particulièrement bon de s'attarder. Notez que ce mouvement ressemble à celui d'un essuie-glace.

Balayez toute la main, du poignet vers le haut des doigts, en partant de la ligne médiane et en allant vers les côtés. Massez ainsi toute la paume, en accordant une attention très spéciale à la base du pouce (éminence du mont Thénar) et enfin balayez aussi les doigts.

Ajoutez un merveilleux complément: massez chaque doigt séparément avec le pouce et l'index, d'abord sur les côtés du doigt, puis sur le dessus et aussi sur le dessous, en allant de la base du doigt jusqu'à son extrémité. Souvenez-vous de stimuler le système lymphatique relié à la tête, en massant entre chaque doigt, d'abord à l'intérieur de la main, puis sur le dos. Tenez compte du sens de la circulation de l'énergie (elle va vers le bout des doigts, à l'intérieur, et vers le poignet, au dos de la main). Le maintien d'une petite traction tout au long de ces massages est le gage d'une réussite parfaite et d'une libération énergétique incomparable.

Étirement du papillon:

L'étirement du papillon libère le receveur des tensions physiques et émotives, à cause de son action sur les zones réflexes du bassin et du diaphragme. L'effet calmant produit par cet étirement vient de la distribution équilibrée de l'énergie du centre de la main vers les côtés.

Étirement
du papillon

figure 27

Placez les doigts qui se touchent au centre de la main gauche, à la hauteur des éminences thénar et hypothénar. Les pouces, qui sont en contact, sont placés au centre du dos de la main. Tout en expirant, commencez le mouvement en glissant les pouces et en les dirigeant vers les côtés, tandis que vos doigts exercent une pression sur le centre de la paume de la main pour la fermer. Tout en inspirant, vos doigts glissent sur la paume de la main pour l'ouvrir, tandis que vos pouces exercent une pression au centre du dos de la main.

Exécutez cet étirement en passant graduellement de la région réflexe du bassin à celle du diaphragme.

Techniques de massage:

Les techniques de massage de la main sont semblables à celles du pied, bien que les points réflexes de la main soient placés dans un espace plus restreint. Quand vous massez la main, il est essentiel de bien utiliser le système de levier pour pouvoir toucher les points réflexes. Mentionnons, une fois de plus, que l'action des doigts qui massent (énergie positive) est efficace seulement si elle est soutenue par celle des doigts d'appui (énergie négative)! Donc, pour exécuter parfaitement ces techniques, pensez: levier, levier, levier.

Localisation et massage des points réflexes

Paume de la main:

figure 28

Pour réussir un excellent massage, il est très important de maintenir fermement la main du receveur à l'aide des doigts d'appui, ce qui permet au pouce de masser efficacement les points réflexes de la paume. Contrairement à l'énergie superficielle qui circule du poignet vers l'extrémité des doigts, l'énergie profonde circule des doigts vers le poignet, il faut donc commencer le massage des points réflexes en profondeur par l'extrémité des doigts et continuer en allant vers le poignet.

Recherchez systématiquement chacun des points réflexes de la main (vous en trouverez une illustration à la fin de ce livre). Massez d'abord tous les points réflexes de l'intérieur de la main droite, en procédant selon l'ordre suivant:

1. Zones réflexes associées à la tête (doigts).
2. Zones réflexes de la cage thoracique. Accordez une attention très spéciale à la ligne du diaphragme.
3. Zones réflexes des organes digestifs (foie, vésicule biliaire, estomac, pancréas) et de la rate, c'est-à-dire la bande comprise entre le diaphragme et la taille.
4. Zones réflexes des intestins, des organes génitaux et des voies urinaires.
5. Zones réflexes de la colonne vertébrale. Longez, ensuite, les cervicales et l'arête osseuse du pouce. Notez bien que ce massage s'effectue sur la couche musculaire en appuyant sur le rebord osseux; évitez de masser directement sur l'arête osseuse.

Le même principe s'applique au massage du dos: abstenez-vous de presser directement sur les apophyses épineuses de la colonne vertébrale et massez les muscles qui maintiennent la colonne bien en place.

Prenez le temps d'examiner la main: vous constaterez que la paume a une peau douce et sillonnée de fines lignes, tandis que le dos de la main a une texture plus rugueuse et une pilosité plus abondante. L'arête osseuse marque la frontière entre la paume et le dos de la main. La paume est reliée aux organes internes et associée à l'énergie négative, tan-

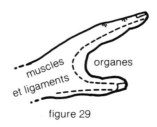

figure 29

dis que le dos de la main qui est relié aux muscles et aux ligaments est considéré comme étant d'énergie positive. Le massage du bord de l'arête osseuse située tout le long des doigts et du dos de la main procure une sensation unique de détente et de légèreté.

Utilisez la même méthode pour détecter et masser les points réflexes de l'intérieur de la main gauche. Souvenez-vous qu'un point réflexe en profondeur doit être massé en faisant des pressions et des rotations.

Dos de la main:

Pour respecter la structure osseuse de la main, il faut, avec le pouce, masser les points réflexes situés entre le poignet et les métacarpes en faisant des pressions et des rotations comme pour ceux de l'intérieur de la main.

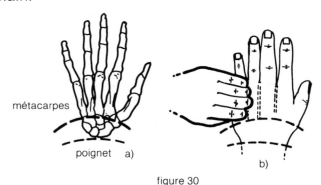

figure 30

Quand vous massez la partie supérieure du dos de la main, placez les doigts entre les métacarpes, pressez et exécutez des rotations avec les doigts. Souvenez-vous que l'énergie profonde du dos de la main circule du poignet vers le bout des doigts.

Pour détecter et masser les points réflexes du dos de la main, procédez selon l'ordre suivant en commençant par la main droite.

1. Poignet (organes génitaux).
2. Zones réflexes des intestins et de la hanche, de la cuisse et du genou.
3. Zones réflexes des organes digestifs (foie, vésicule biliaire, estomac, pancréas) et de la rate.

4. Zones réflexes de la cage thoracique (poumon, poitrine, coeur).
5. Zones réflexes du cerveau, des yeux, des oreilles, des sinus, etc. sur les doigts.

Si vous trouvez un point douloureux à l'intérieur de la main, il est bon de chercher le point correspondant situé au dos de la main. Commencez le massage par le point situé à l'intérieur de la main, lorsque l'organe associé est en hypoactivité et terminez par le point situé au dos de la main. Si l'organe associé est en hyperactivité, massez d'abord le dos de la main et ensuite l'intérieur. Si la frontière entre l'hypoactivité et l'hyperactivité n'est pas facile à déterminer, expirez pour dégager votre esprit et laissez vos doigts vous guider et trouver pour vous la rotation la plus facile.

> Retenez que la rotation la plus facile, la moins douloureuse et la plus agréable est celle qui respecte le circuit d'énergie.

Séquence de fermeture:

La séquence de fermeture fait passer l'énergie débloquée lors du massage des points réflexes dans l'énergie superficielle des méridiens. Pour exécuter cette séquence, il suffit d'inverser l'ordre des mouvements de la séquence d'ouverture, c'est-à-dire faire:

— l'étirement du papillon;
— la balayage de l'index;
— la friction et le balayage de la paume;
— le massage du poignet.

Polarité de la tête:

La séance générale de réflexologie polarisée y gagnera beaucoup si vous ajoutez quelques mouvements précis visant à libérer les tensions accumulées au niveau de la tête (pôle positif du corps).

Séquence d'ouverture:

Mémorisez et pratiquez les exercices suivants, ils vous libéreront de vos tracas intellectuels. Ils ralentiront le flot rapide de vos idées, procurant ainsi une grande détente à votre cerveau et un rythme apaisant à tout votre système nerveux.

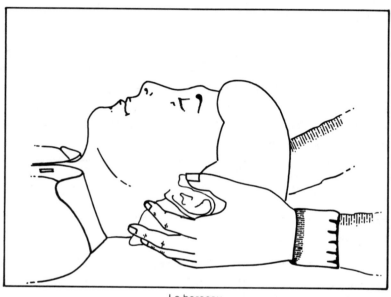

Le berceau

figure 31

Le berceau:

Le receveur est allongé et le donneur place lentement ses mains sous la tête. Il encourage le receveur à abandonner sa tête et à se détendre.

Placez les pouces dans le creux de l'articulation de la mâchoire, les index sur le nerf vague, les majeurs et les annulaires dans les petites cavités osseuses en bordure de l'occiput et les auriculaires dans le creux occipital. Exercez une traction continue sur la tête pendant environ une à deux minutes.

Dès le début, donneur et receveur doivent prendre de profondes respirations. Si le donneur ressent de la fatigue ou des tensions, il prend une meilleure posture; il peut même s'asseoir ou s'agenouiller pour tenir la tête du receveur.

Relâchez graduellement la traction et gardez le contact quelques secondes avec la tête.

Le berceau calme et nourrit le système nerveux, ouvre le canal rachidien, diminue les maux de tête et laisse sortir les tensions résiduelles associées à la respiration, à la circulation et à la digestion à cause de son action sur le cervelet.

Polarisation de la tête:

La polarisation de la tête calme les tensions musculaires de tout le corps, en particulier celles de la nuque et

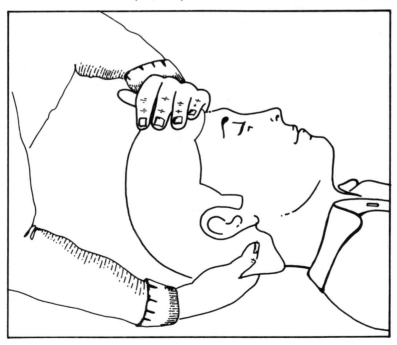

Polarisation de la tête
figure 32

des épaules. Elle accentue notre conscience spatiale et nos sensations kinesthésiques par son action sur le cervelet.

Pour polariser la tête, placez la main droite sur la région occipitale et la main gauche sur le front. Laissez les deux tiers du front à découvert afin de permettre le rayonnement du centre énergétique associé à l'hypophyse (troisième oeil). Les deux mains sont posées à l'horizontale. L'effet de la polarisation est obtenu par la simple circulation de l'énergie entre les deux mains. Gardez cette position une à deux minutes, sans exercer aucune traction: celle-ci est même à déconseiller dans ce cas.

Le bercement du ventre:

Le bercement du ventre apaise et endort. L'énergie vitale du centre hara, situé à environ deux à trois centimètres sous le nombril, est stimulée, ce qui harmonise les fonctions végétatives de l'organisme (digestion, respiration, circulation, élimination). La raison se réconcilie avec les forces vitales de l'intérieur du corps et reçoit enfin les messages depuis si longtemps emprisonnés dans certaines parties du corps.

Le donneur se place à la droite du receveur. Placez la main gauche sur le tiers supérieur du front et gardez le contact, sans presser. Les éminences de la paume droite se placent sur le centre hara. Bercez le ventre en faisant avec la main droite un mouvement doux de va-et-vient, tandis que la main gauche reste immobile. Pour réussir le bercement, il est très important de bien presser le ventre avec les éminences de la paume de la main droite, pour mettre en mouvement les énergies internes et très profondes. Évitez donc de glisser la main sur la surface du ventre ou de le secouer de gauche à droite, mais exercez plutôt une pression sur l'abdomen.

Après environ deux minutes de bercement, cessez le mouvement, relâchez lentement la pression exercée par la main droite tout en la laissant en contact avec l'abdomen. Prenez le temps de sentir le flot d'énergie s'écouler de la région abdominale à la région cérébrale. Enlevez doucement vos mains en gardant vos doigts rapprochés; retirez-vous du champ énergétique du receveur. Secouez les mains vers le sol pour les décharger de l'énergie statique qui s'y est accumulée.

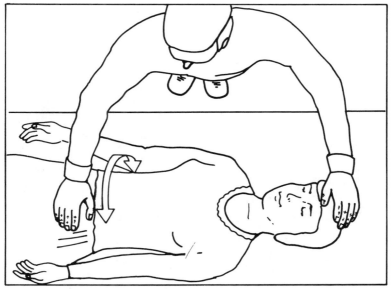

Le bercement du ventre

figure 33

Si vous ne réussissez pas le bercement du premier coup, incitez le receveur à prendre de profondes respirations et pressez plus fortement en exécutant un mouvement doux, lent et uniforme. Les enfants adorent ce bercement!

Système neuro-vasculaire:

Les points du système neuro-vasculaire sont situés principalement sur la tête. L'activation de ces points

régularise l'énergie des méridiens, augmente le flot sanguin des muscles et des organes associés à chacun
d'eux et, de ce fait, réchauffe l'ensemble du corps. Ces
réchauffeurs du corps permettent de nous adapter facilement aux changements de température. Lorsque les
récepteurs neuro-vasculaires sont bloqués, ils empê-
chent la transformation de l'acide lactique qui est produit
normalement lors des contractions musculaires.

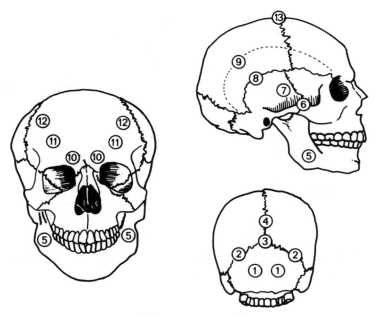

Système neuro-vasculaire
figure 34

Points neuro-vasculaires:

1. Éminence occipitale: Reins (douleurs lombaires,
                            hypertension, insomnie)
2. Suture lambdatique: Maître du coeur (problè-
                            mes des organes génitaux)

3. Fontanelle postérieure: Triple réchauffeur
(asthme, allergie, contrôle
du stress et de la fatigue)
4. Suture sagittale: Rate et pancréas (mal de
gorge)
5. Mâchoire inférieure: Estomac (problèmes
digestifs, sinus, yeux, nez)
6. Os malaire: Rein (cou, insomnie,
hypertension, douleurs
lombaires)
7. Lobe temporal: Triple réchauffeur (problèmes de la thyroïde) —
méridien gouverneur
(système nerveux)
8. Suture sphénoïdale: Rate et pancréas (allergie,
diabète et hypoglycémie)
9. Éminence pariétale: Petit intestin, gros intestin,
maître du coeur, reins
10. Glabelle (espace entre
les sourcils):   Vessie (problèmes vési-
caux)
11. Éminence frontale: Estomac, vessie (malaises
digestifs et problèmes de
la vessie) méridien central
12. Lobe frontal: Foie (mal de tête, cauche-
mar, anémie, somnambu-
lisme)
13. Fontanelle antérieure: Poumons, coeur, foie,
(problèmes pulmonaires,
cardiaques et digestifs),
méridien central.

Pour comprendre la technique de travail sur les points neuro-vasculaires, il est utile de connaître la polarité propre à chacun des doigts.

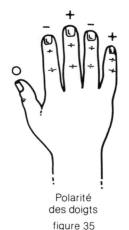

Polarité
des doigts

figure 35

Le pouce est neutre. L'index et l'annulaire sont négatifs. Le majeur et l'auriculaire sont positifs.

Lorsque vous croisez deux doigts de polarité inverse (− , +), vous obtenez une énergie neutre.

Pour agir efficacement sur les points du système neuro-vasculaire, posez délicatement les index sur un point associé au méridien que vous désirez rééquilibrer et croiser les majeurs sur les index. «Écoutez» le point avec le bout des index et vous sentirez une pulsation, d'abord sous un index et ensuite sous l'autre. Restez sur le point jusqu'à ce que les pulsations perçues par les deux index se soient synchronisées. Il semble que cette pulsation ne soit pas en relation avec le rythme cardiaque, mais qu'elle corresponde à la pulsation primitive du lit capillaire microscopique de la peau.

Attention! Il s'avère indispensable de bien respirer pour effectuer votre travail efficacement. Évitez de retenir votre respiration en attendant de percevoir la pulsation sous vos doigts. Si elle est imperceptible, ajustez votre pression: elle est probablement trop forte et écrase le pouls. Il suffit d'un simple contact avec les points pour bien sentir la pulsation. On la perçoit généralement en moins de vingt secondes, mais il faut parfois une, deux et même cinq minutes.

Vous pouvez masser vous-même vos points selon l'ordre numérique proposé. Il suffit de maintenir vos doigts sur chaque point de vingt à trente secondes et de les enlever lentement avant de passer au point suivant. Si le massage est exécuté par une autre personne, il vous arrivera probablement de vous endormir.

Le massage des points du système neuro-vasculaire amène une relaxation mentale étonnante et peut provoquer une sensation de grande légèreté cérébrale. Parfois, vous ressentirez un flot d'énergie au niveau de l'organe associé au point touché.

Le massage neuro-vasculaire n'est pas vraiment une technique de réflexologie de la tête, puisque la pression est superficielle. Cependant, compte tenu de la polarité positive de la tête, ce massage permet de vous libérer de vos tensions intellectuelles et nerveuses. Les dix minutes consacrées à ce massage amèneront une «décharge» des tensions reliées à l'usage abusif du cerveau et vous apaiseront physiquement, émotivement et intellectuellement. L'essayer, c'est l'adopter!

Séquence de fermeture:

La séquence de fermeture a pour but de régulariser, canaliser et harmoniser l'énergie débloquée lors de la séquence d'ouverture et du travail sur le système neuro-vasculaire. Bien que très simple à exécuter, cette séquence a une grande influence sur le champ d'énergie électromagnétique.

Polarisation des temporaux:

La polarisation des temporaux libère l'esprit de ses préoccupations, calme le tourbillon des idées, recentre la personne sur le moment présent et rend l'esprit alerte, ce qui favorise une pensée juste, une parole juste et une action juste. L'action sur les temporaux influence les points neuro-vasculaires associés à la rate et au pancréas. Ces organes correspondent à l'élément terre, centre des éléments, qui tient compte de l'environnement externe et des facteurs internes pour que l'être s'adapte à toutes les circonstances.

Le lobe temporal renferme les mémoires du passé, associées à l'énergie du méridien du foie et appelé «cortex interprétatif», parce qu'il permet de comprendre les données nouvelles à partir des expériences passées.

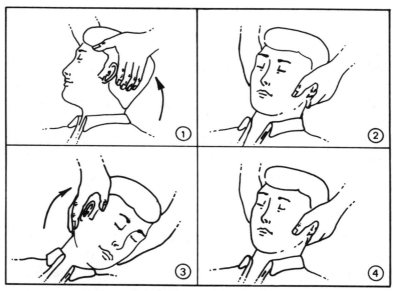

Polarisation des temporaux
figure 36

Le receveur est allongé et le donneur place lentement ses mains de chaque côté de la tête, couvrant ainsi les temporaux. Placez vos pouces dans les cavités situées en avant de la partie supérieure des oreilles, les autres doigts derrière les oreilles et les paumes sur les lobes temporaux: elles épousent la forme de la tête. les mains tiennent la tête avec suffisamment de fermeté pour que le receveur se sente en toute confiance.

D'abord, tournez lentement la tête à droite. Amenez-la à un angle de 45 degrés et maintenez cette position pendant deux minutes. Ramenez lentement la tête au centre, faites une courte pause, puis répétez ce mouvement de rotation de la tête vers la gauche. Ramenez la tête à la position initiale et retirez délicatement les mains du champ d'énergie.

Ayez des gestes délicats et prenez des respirations profondes tout au long du mouvement.

Éventail:

Le mouvement de l'éventail vise à canaliser l'énergie positive à l'intérieur de la colonne vertébrale ainsi que le long des méridiens de la vésicule biliaire et de la vessie pour la faire descendre dans la partie inférieure du corps. L'éventail est à la fois relaxant et très puissant, car il active et concentre le rayonnement des chakras supérieurs et permet une expansion de la conscience.

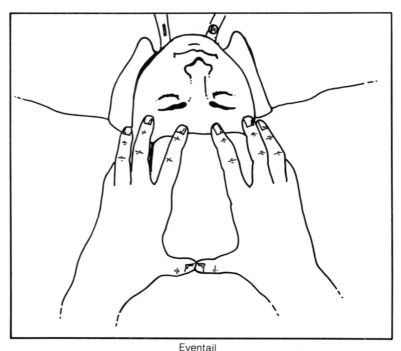

Eventail
figure 37

Placez vos pouces, préalablement joints l'un à l'autre, à environ trois centimètres en avant de la fontanelle postérieure, sur la suture sagittale, et mettez tous les autres doigts en éventail sur la tête. Maintenez cette position pendant environ deux minutes. Éloignez doucement les mains jusqu'à environ dix centimètres (quatre pouces) de la tête. Laissez-les à cette distance aussi longtemps que vous percevez un échange énergétique, puis, retirez doucement les mains du champ d'énergie.

Lien nombril — front:

Le lien nombril-front active l'énergie du centre hara et la fait monter au niveau de l'hypophyse (centre du troisième oeil).

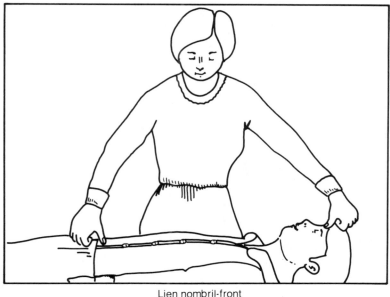

Lien nombril-front

figure 38

Placez-vous à la droite du receveur. Fermez les poings. Le pouce droit touche le nombril et le pouce gauche touche le centre du troisième oeil situé au milieu du front. Laissez les mains en place deux minutes. Soulevez doucement les pouces et restez quelques minutes dans le champ énergétique du receveur. Quittez doucement ce champ d'énergie et secouez les mains.

Techniques complémentaires de la réflexologie de la tête:

Réflexologie de la langue, de la bouche et des lèvres:

La réflexologie de la langue permet de soulager rapidement les problèmes aigus reliés aux différents organes. Il existe plusieurs façons d'agir sur la langue.

Traction:

Un des moyens les plus simples et les plus efficaces de faire la réflexologie de la langue consiste à la tirer. Cette traction de la langue soulage des rhumes, des maux de gorge, des quintes de toux, des bronchites, des laryngites et des otites en agissant sur l'ensemble du système respiratoire. De plus, cela fait cesser le hoquet.

Pour libérer la gorge de toute tension, tirez la langue le plus loin possible, avec le pouce et l'index, en utilisant un mouchoir afin d'éviter qu'elle ne vous glisse entre les doigts. Maintenez ainsi fermement la langue et bougez-la de droite à gauche, lentement, pendant quelques minutes. Cette technique permet aux orateurs et aux chanteurs de conserver — ou encore de retrouver — leur voix très rapidement.

Pression:

Une autre technique consiste à presser la langue avec un abaisse-langue, ou le manche d'une cuillère, afin de stimuler l'énergie des points douloureux situés sur toute sa surface. Les points réflexes de la ligne centrale correspondent au centre du corps. Les points réflexes du côté droit de la langue agïssent sur les glandes et les organes du côté droit du corps et les points réflexes du côté gauche de la langue agissent sur les glandes et les organes du côté gauche du corps.

Une pression faite avec l'abaisse-langue atténue, entre autres, les problèmes causés par les hémorroïdes, les crampes menstruelles (chez la femme) et les dérèglements de la prostate (chez l'homme). Maintenez la pression pendant environ deux minutes et répétez au besoin. Attention! Les femmes enceintes doivent éviter de masser les points réflexes de la langue parce que ce massage a un effet puissant sur les organes génitaux et peut causer un avortement.

Un moyen presque infaillible pour supprimer les crampes (crampes menstruelles, crampes musculaires dans les orteils, les mollets, etc.) consiste à sortir la langue et à la presser entre les lèvres. Le résultat ne se fait pas attendre: cela prend de trente secondes à deux minutes. Une autre façon de faire cesser des crampes est de pincer entre le pouce et l'index le sillon sous le nez.

Pour détecter et masser les points réflexes douloureux de la langue, commencez par le bout de la langue et allez vers la gorge, en suivant le schéma de la page suivante.

Brossage de la langue et de la bouche:

Une excellente habitude d'hygiène buccale consiste à nettoyer sa langue à l'aide d'une brosse à dents, matin et soir, afin de rafraîchir l'haleine et de protéger les dents contre la carie par la réduction du nombre des bactéries formant la plaque dentaire. Certains orientaux considèrent qu'il est plus important de se brosser la langue que de brosser ses dents, puisque la langue est un terrain propice à la multiplication des bactéries.

De plus, le brossage de la langue contribue à la santé des muqueuses de l'arrière-gorge. Celle-ci renferme les amygdales et les végétations, première ligne

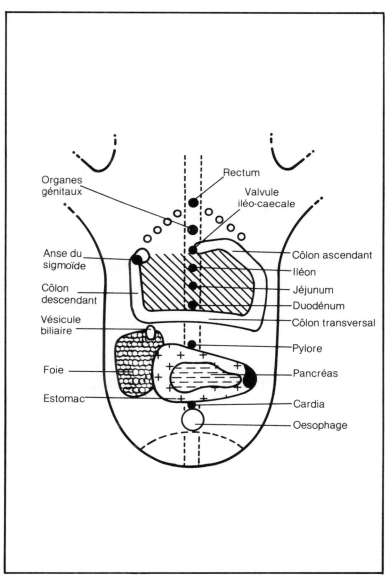

Zones réflexes de la langue

figure 39

de défense de l'organisme contre les infections. Certains médecins reconnaissent que l'altération de la muqueuse de l'arrière-gorge domine toute la pathologie générale infectieuse.

Donc, brossez bien votre langue tous les jours: partez de l'arrière et allez vers le bout pour en déloger les bactéries. Ce brossage, sans dentifrice, s'effectue avec une brosse sèche, sur la langue d'abord et ensuite sur les gencives et les dents pour fortifier les gencives et protéger les dents de la carie.

Afin de la garder sèche, exécutez un mouvement de succion en l'appuyant bien contre les gencives et massez en allant des gencives vers les dents. Si vous le désirez, lavez ensuite vos dents avec du dentifrice. Utilisez-le en petite quantité quelques fois seulement par semaine et vous garderez vos dents blanches. Pour obtenir une haleine fraîche et saine, faites circuler de l'eau dans la bouche, autour des dents.

Inhalations et fumigations:

Pour combattre les débuts d'un rhume ou d'une grippe, faites des inhalations de vapeur d'huiles essentielles antiseptiques et bactéricides telles que l'eucalyptus, le sapin, le pin, la marjolaine, le romarin, le menthe, le cajeput, le clou de girofle, etc.

Développez l'excellente habitude de boire tous les jours une tasse d'eau chaude additionnée d'une goutte d'huile essentielle, en prenant bien soin de respirer profondément les vapeurs avant de boire. Si une infection se déclare, remplacez l'inhalation par une fumigation qui a un effet plus puissant. La fumigation consiste à respirer pendant trois à cinq minutes des vapeurs provenant d'eau bouillant dans une marmite et additionnée de quatre ou cinq gouttes d'huile essentielle.

Utilisez quotidiennement les huiles essentielles, non seulement les trouverez-vous savoureuses, mais elles vous permettront d'accroître votre vitalité, votre santé et votre plaisir de vivre grâce à leurs effets bénéfiques. Elles constituent donc un monde fascinant à découvrir. Si vous entrouvrez la porte de ce monde merveilleux, jamais plus vous ne la refermerez! Pour obtenir plus d'informations sur les effets bienfaisants des huiles essentielles, consultez le livre *Santé, Beauté, Longévité par les huiles essentielles* de Lise de Monceaux, Éditions de Monceaux.

Réflexologie de l'oreille:

Si vous observez bien le schéma, vous constaterez que la configuration de l'oreille est semblable à celle du foetus.

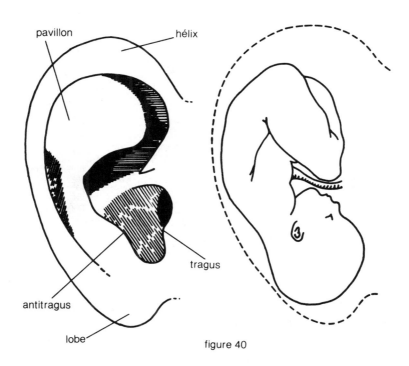

figure 40

Tous les organes du corps ont des points réflexes dans l'oreille. Pour stimuler les points réflexes des oreilles, vous pouvez exercer une pression avec la pointe d'un stylo en «picotant» à plusieurs reprises. Afin de travailler en circuit fermé, tenez l'oreille avec la main d'appui pendant que l'autre main est active. Stimulez chaque point de trente secondes à une minute. Pour faire diminuer la douleur ressentie lors du massage des points, expirez profondément lors de la pression. L'action exercée sur certains points-maîtres est particulièrement efficace.

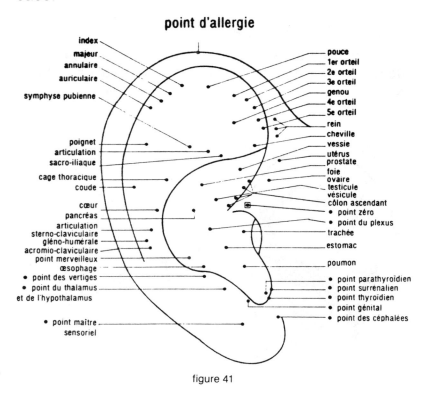

figure 41

Tirez d'abord simultanément les lobes des deux oreilles en penchant la tête vers l'arrière, à l'expiration. Puis, tirez les hélix (situés au sommet des pavillons) en même temps que vous penchez la tête vers l'avant, à l'inspiration. Massez également tout le pourtour de l'oreille.

Frottez vos paumes et passez-les sur les oreilles d'arrière en avant en ramenant le pavillon, plusieurs fois de suite tout en expirant et en penchant la tête vers l'arrière. Continuez en frottant vos oreilles vers l'arrière, plusieurs fois de suite, tout en inspirant et en penchant la tête vers l'avant.

Continuez en beauté en passant, de bas en haut, l'index et le majeur au dos du pavillon de l'oreille, tout en expirant. Terminez ce massage en passant, de haut en bas, l'index et le majeur sur le devant du pavillon, tout en inspirant. Massez les deux oreilles en même temps.

La zone derrière l'oreille constitue le thermostat du corps, car on y trouve l'extrémité du méridien triple réchauffeur dont le rôle est de permettre au corps de s'adapter aux changements climatiques.

Il existe un moyen rapide de normaliser la tension artérielle.

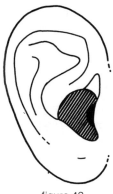

figure 42

Pour faire baisser la tension artérielle, placez les deux index (doigts de polarité négatitue, calmante) dans l'oreille, derrière le conduit auditif que vous prenez bien soin de laisser dégagé. Exécutez des mouvements de rotation vers l'avant des oreilles avec les index pendant environ deux minutes. Au contraire, pour élever la tension artérielle, placez les deux majeurs (doigts de polarité positive, stimulante) dans l'oreille, derrière le conduit auditif et exécutez des mouvements de rotation vers l'arrière des oreilles avec les majeurs pendant environ deux minutes.

Tirer les oreilles et les orteils
tous les jours fait merveille
pour obtenir une forme sans pareille!

Réflexologie de l'oeil et du nez:

Chaque organe des sens a des zones réflexes associées à toutes les parties du corps, sans exception. Ainsi en est-il pour la langue et l'oreille que nous venons d'étudier. De plus, l'oeil et le nez révèlent la condition de chaque organe du corps. L'oeil demande l'application de techniques particulières appelées «iridologie» (détection de l'état des organes par l'étude de l'iris) et chromothérapie (thérapie par les couleurs). Quant au nez, la réflexologie appelée «sympathicothérapie» demande à être appliquée par un praticien compétent, car ces zones réflexes sont très délicates à masser. Pour plus d'informations sur les yeux et le nez, consultez mon premier livre *Découvrons la réflexologie* du même auteur.

Réflexologie du corps par les relations harmoniques

Le corps est à l'image de la cellule qui renferme toute l'information génétique suffisante pour reproduire à nouveau l'organisme en entier. Un réseau invisible d'énergie électromagnétique relie toutes les composantes de la cellule entre elles et relie également la cellule à chacune des régions anatomiques du corps.

La connaissance de ces liens vous ouvrira les portes d'un monde qui recèle pour vous des pouvoirs presque illimités, car il mettra entre vos mains un éventail très large de points réflexes associés aux problèmes de santé auxquels vous voulez remédier.

L'utilisation de ces relations harmoniques m'a permis des dizaines de fois de faire diminuer ou de faire disparaître complètement des douleurs arthritiques. *Si vous vous rappelez* des correspondances qui existent entre les diverses articulations du corps, vous en serez récompensé au centuple.

S'il vous arrive d'être blessé au cours d'un accident, vous pouvez faire diminuer en grande partie la douleur causée par votre blessure en massant les zones réflexes ayant des relations harmoniques avec la zone douloureuse. Quelle bonne trousse d'urgence! Puisque vous travaillez à distance pour soulager la douleur, la réflexologie vous permet de garder le membre blessé immobile. Elle permet aussi d'accélérer sa guérison en y rééquilibrant la circulation d'énergie.

Si votre blessure est grave, vous devrez bien sûr consulter un médecin. Cependant, en attendant de le voir, vous pouvez calmer votre douleur en appliquant la réflexologie polarisée sur une des régions ayant des relations harmoniques avec la zone blessée, ou encore demander à un ami de le faire pour vous.

Identification des relations harmoniques

Il existe trois catégories principales de relations harmoniques:

1. Relations harmoniques entre les zones du corps qui ont une même charge électromagnétique

Notre corps se divise horizontalement en zones positives (+), négatives (−) et neutres (0). Les zones chargées positivement s'échangent de l'énergie positive entre elles et reflètent la condition des autres zones positives. Les zones négatives, ainsi que les zones neutres, s'échangent aussi de l'énergie entre elles.

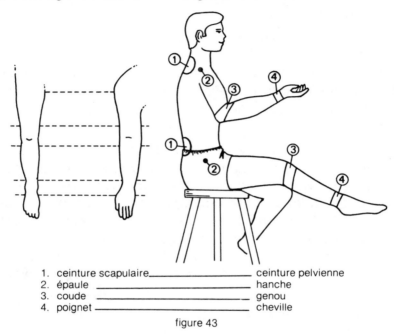

1. ceinture scapulaire ——————— ceinture pelvienne
2. épaule ————————————— hanche
3. coude ————————————— genou
4. poignet ————————————— cheville

figure 43

Cette répartition horizontale permet une multitude de possibilités lors du choix d'un point réflexe efficace. Dans la pratique, vous constaterez que les points réflexes douloureux de même charge électromagnétique se concentrent surtout dans les régions où se trouvent les articulations majeures de l'organisme. Retenez les associations suivantes:

— doigts ---------------------- orteils
— mains ---------------------- pieds
— poignets ------------------ chevilles
— coudes -------------------- genoux
— épaules ------------------- hanches
— ceinture scapulaire -- ceinture pelvienne.

2. Des relations harmoniques existent entre l'avant et l'arrière du corps, ce qui signifie qu'un point douloureux à l'avant du corps aura une correspondance précise à l'arrière du corps.

3. Des relations harmoniques existent entre le côté gauche et le côté droit du corps. Si vous trouvez un point douloureux à gauche du corps, vous trouverez nécessairement un point douloureux correspondant à ce point sur le côté droit du corps.

Massage des points réflexes ayant des relations harmoniques

Vous constaterez l'efficacité exceptionnelle de cette réflexologie sur toutes les parties du corps. Elle complète la réflexologie des pieds, des mains et de la tête, étudiée auparavant. La technique de massage des points réflexes associés aux zones harmoniques est exactement la même que celle utilisée pour masser les points réflexes des extrémités.

Si, par exemple, quelqu'un a une bursite à l'épaule gauche, vous trouverez les points associés à son épaule gauche soit:

— à la hanche gauche (zone de même charge électromagnétique);
— à l'épaule droite (relation harmonique entre le côté gauche et le côté droit).

L'expérience acquise par le passé m'a démontré que pour les grosses articulations (épaules, coudes, hanches, genoux) les résultats sont bien meilleurs si je masse d'abord les points situés du même côté que le problème auquel je veux remédier. Si la bursite est située à l'épaule gauche, je masserai en premier lieu le point réflexe douloureux sur la hanche gauche pendant deux minutes, en prenant soin d'expirer en faisant la pression et la rotation et d'inspirer en relâchant la pression.

Après avoir effectué ce massage sur la hanche gauche, massez, si nécessaire, le point réflexe douloureux de l'épaule droite pendant deux minutes.

Pour supprimer les douleurs des petites articulations (poignets, chevilles, doigts, orteils), vous massez d'abord les articulations correspondantes situées du côté opposé à la zone douloureuse si vous désirez que votre massage soit plus efficace. Si quelqu'un se blesse à l'index gauche en travaillant, il massera dans l'ordre:

— l'index droit;
— le deuxième orteil gauche.

Généralement, il suffit de masser l'index droit pendant deux minutes pour enlever toute la douleur à l'index gauche.

J'ai personnellement utilisé les relations harmoniques entre les points réflexes en de multiples circonstances. J'ai presque toujours obtenu des résultats remarquables et qui, souvent même, dépassaient mes espérances.

Conditions particulières: problèmes de santé

La fin de ce chapitre a pour but de vous permettre de détecter rapidement les points réflexes douloureux associés à chacun des systèmes du corps et d'en rééquilibrer l'énergie. À cette fin, vous trouverez un schéma des pieds comprenant les zones réflexes propres à chaque système. Même si seules les zones réflexes du pied sont illustrées, il est fortement recommandé de masser les zones réflexes des mains et de la tête correspondant à celles des pieds pour obtenir l'équilibre énergétique entre les trois pôles (négatif, neutre, positif) du corps, ce qui constitue à proprement parler l'essence même de la «réflexologie polarisée».

Vous y trouverez aussi des tableaux où sont clairement identifiées toutes les conditions particulières de chacun des systèmes du corps. Chaque condition est suivie d'une courte description ainsi que des zones réflexes à masser pour soulager, en partie ou même totalement, l'organe déficient.

Il y est suggéré de masser plusieurs points réflexes pour remédier à certaines situations. Dans la pratique, vérifiez les points mentionnés et retenez quels sont les points les plus douloureux. Parmi ces points, choisissez «le point» qui semble être le noeud central du blocage énergétique et massez-le deux minutes. Vous obtiendrez souvent des résultats après le massage d'un seul point. Un excellent réflexologue a pour objectif premier d'obtenir le maximum de résultats positifs avec le minimum de massages de points réflexes. Le massage d'un point réflexe bien choisi vaut mieux que celui d'une série de points indirectement reliés au problème de santé.

Ces tableaux ne sont pas conçus pour vous inciter à poser des diagnostics, actes réservés aux médecins, mais bien pour vous aider à identifier les régions du corps qui se trouvent en souffrance énergétique. Consultez mon premier livre *Découvrons la réflexologie*, (Éditions de Mortagne), pour connaître l'anatomie et la physiologie des différents systèmes.

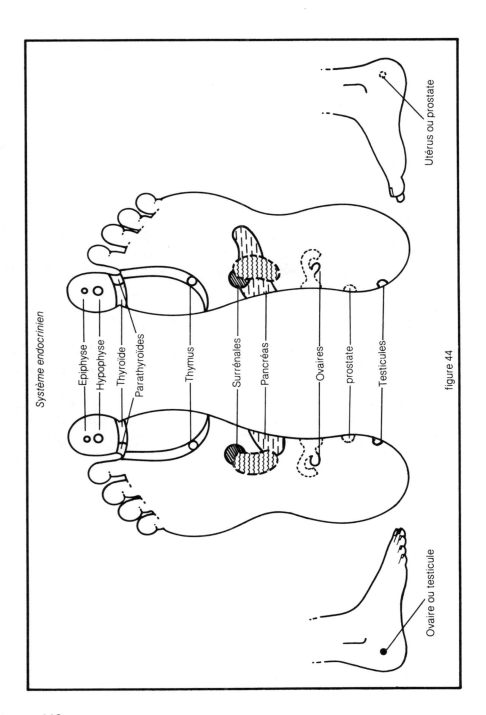

Système endocrinien

Epiphyse
Hypophyse
Thyroïde
Parathyroïdes
Thymus
Surrénales
Pancréas
Ovaires
prostate
Testicules

Utérus ou prostate

Ovaire ou testicule

figure 44

Système endocrinien:

Problèmes de santé	Description	Zones réflexes
Allergie	Réaction inflammatoire à différentes substances toxiques pour l'organisme (aliments, vêtements ou autres matières de l'environnement)	Surrénales, valvule iléo-caecale, pancréas, sinus, système lymphatique
Arthrite et rhumatisme	Inflammation des articulations, des tendons et des muscles	Système endocrinien, système lymphatique, reins, foie, gros intestin, zones du corps les plus affectées
Asthme	Spasme des bronches qui nuit surtout à l'expiration et qui s'accompagne souvent d'une augmentation de sécrétions bronchiques	Surrénales, diaphragme, valvule iléo-caecale, poumons, bronches
Crampe	Spasme musculaire douloureux	Parathyroïde, surrénales, colonne vertébrale, partie concernée (presser la langue entre les lèvres)
Évanouissement	Perte de conscience	Hypophyse (glande pituitaire), surrénales, pancréas, plexus solaire
Fatigue	Manque d'énergie	Thyroïde, surrénales, foie, pancréas, rate, colonne vertébrale
Fièvre	Élévation anormale de la température du corps	Hypophyse
Frilosité	Difficulté à maintenir sa chaleur interne	Thyroïde, foie, surrénales, rate

111

Système endocrinien:

Problèmes de santé	Description	Zones réflexes
Goître	Hypertrophie de la thyroïde	Thyroïde
Hypoglycémie	Taux de sucre (glucose) anormalement bas dans le sang, dû à une sécrétion trop grande d'insuline	Pancréas, surrénales, foie, hypophyse
Hypotension	Tension artérielle inférieure à la normale	Surrénales, thyroïde, hypophyse
Infertilité	Dysfonctionnement des organes reproducteurs causé par: obstruction des trompes de Fallope, ovulation irrégulière, libido supprimée, nombre insuffisant de spermatozoïdes, etc.	Ovaires, testicules, prostate, trompes de Fallope, canaux déférents, hypophyse, surrénales
Inflammation	Réaction naturelle du corps dans une tentative d'auto-guérison	Surrénales, hypophyse, système lymphatique
Instabilité émotionnelle	Alternance entre la dépression et l'agitation	Thyroïde, surrénales, plexus solaire, diaphragme, cerveau, colonne vertébrale
Maigreur excessive	Insuffisance de poids	Thyroïde, foie, intestin grêle
Obésité	Excédent de poids	Thyroïde, hypophyse, glandes génitales (ovaires & testicules)
Ostéoporose	Décalcification des os qui deviennent poreux	Parathyroïdes, surrénales, glandes génitales (ovaires & testicules)

Système endocrinien:

Problèmes de santé	Description	Zones réflexes
Problèmes reliés à la ligature des trompes de Fallope	Dérèglement hormonal provoquant des nausées, des maux de tête, etc.	Hypophyse, ovaires, utérus, trompes de Fallope
Sécheresse de la peau	Épiderme couvert d'une couche de cellules mortes et sèches, par suite d'un ralentissement de la régénération cellulaire	Thyroïde, surrénales, poumons, foie
Stress	Réponse de l'organisme aux facteurs d'agression physiologiques et psychologiques	Surrénales, plexus solaire, diaphragme, cerveau, colonne vertébrale
Taux anormal de cholestérol	Quantité anormalement élevée de cholestérol dans l'organisme (cerveau, plasma sanguin, bile) pouvant provoquer l'artériosclérose et former des calculs biliaires	Thyroïde, foie
Tumeur, kyste et verrue	Prolifération anormale de cellules	Hypophyse, foie, ovaires et testicules
Vieillesse prématurée	Usure excessive de l'organisme	Système endocrinien, foie

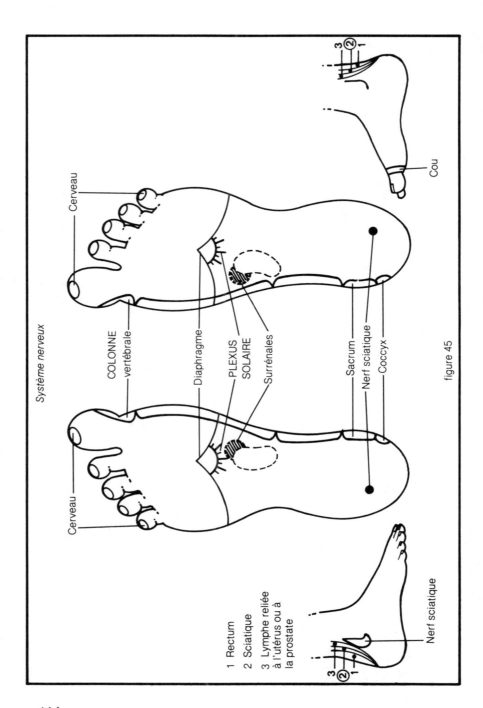

Système nerveux

Cerveau

Cerveau

COLONNE
vertébrale

Diaphragme

PLEXUS
SOLAIRE

Surrénales

Sacrum

Nerf sciatique

Coccyx

1 Rectum
2 Sciatique
3 Lymphe reliée
à l'utérus ou à
la prostate

Nerf sciatique

Cou

figure 45

114

Système nerveux:

Problèmes de santé	Description	Zones réflexes
Ataxie	Incoordination des mouvements volontaires due à une affection des centres nerveux	Cerveau, colonne vertébrale, diaphragme, plexus solaire, système endocrinien
Bégaiement	Troubles de la parole	Vertèbres cervicales
Dépression mentale	Baisse du niveau énergétique, accompagnée de tristesse et de pensées négatives	Système endocrinien, en particulier hypophyse, thyroïde, surrénales, épiphyse pinéale, colonne vertébrale
Encéphalite	Inflammation du cerveau	Voir un médecin. Cerveau (surtout le gros orteil), système endocrinien
Engourdissement des doigts	Sensation de raideur et de torpeur dans les doigts	Vertèbres cervicales, plexus solaire, diaphragme, reins, surrénales, hypophyse, vitamines B et E
Épilepsie	Désordre du système nerveux caractérisé par des convulsions avec perte de connaissance	Colonne vertébrale, surtout le cou, système endocrinien, diaphragme, gros intestin
Hoquet	Spasmes du diaphragme	Diaphragme, boucle du méridien central, tirer la langue

Système nerveux:

Problèmes de santé	Description	Zones réflexes
Inflammation du nerf sciatique	Inflammation du plus long nerf du corps qui naît au plexus sacré, passe par le bassin et descend jusqu'au talon	Vertèbres lombaires, hanche, nerf sciatique
Insomnie	Difficulté à dormir suffisamment	Épiphyse (pinéale), hypophyse, diaphragme, surrénales
Maladie de Parkinson	Tremblements musculaires causés par une maladie du système nerveux	Colonne vertébrale, diaphragme, plexus solaire, glandes endocrines
Mal de tête, migraine, céphalée	Problème causé le plus souvent par un dérèglement des méridiens de la vésicule biliaire ou de la vessie, ou d'une tension dans les muscles du cou	Vésicule biliaire, vessie, cerveau, colonne vertébrale, en particulier le cou
Méningite	Inflammation des méninges (membranes qui entourent le cerveau et la moëlle épinière)	Voir un médecin. Cerveau (surtout sur les gros orteils), colonne vertébrale, thymus, hypophyse, surrénales, épiphyse
Névralgie	Douleur ressentie sur le trajet d'un nerf sensitif	Région concernée, colonne vertébrale, diaphragme, plexus solaire, hypophyse, surrénales

Système nerveux:

Problèmes de santé	Description	Zones réflexes
Névrite	Inflammation des nerfs	Colonne vertébrale, surrénales, thymus, cerveau
Paralysie	Perte de la fonction motrice, due à des lésions du système nerveux	Cerveau gauche, si côté droit paralysé et vice-versa, colonne vertébrale, reins si hypertension, foie, hypophyse, point maître sensoriel (lobe de l'oreille)
Sclérose en plaques	Détérioration de la couche de myéline entourant les nerfs	Colonne vertébrale, glandes endocrines, diaphragme
Tension nerveuse	Stress, énervement	Plexus solaire, diaphragme, colonne vertébrale, cerveau, surrénales
Tic nerveux	Geste bref, automatique et répété involontairement	Cerveau, cou, colonne vertébrale, plexus solaire, diaphragme, surrénales
Tremblements	Mouvements involontaires du corps	Colonne vertébrale, plexus solaire, diaphragme, surrénales
Vertige	Étourdissements qui peuvent s'accompagner de troubles de l'équilibre	Oreilles, cou, foie, pancréas, reins

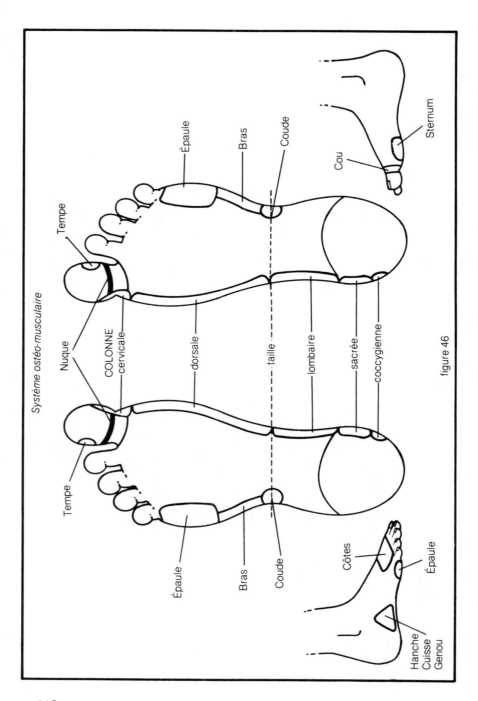

Système ostéo-musculaire

Tempe

Épaule

Bras

Coude

Cou

Sternum

Nuque

COLONNE
cervicale

dorsale

taille

lombaire

sacrée

coccygienne

Tempe

Épaule

Bras

Coude

Côtes

Épaule

Hanche
Cuisse
Genou

figure 46

Système ostéo-musculaire:

Problèmes de santé	Description	Zones réflexes
Ankylose	Diminution ou impossibilité absolue des mouvements d'une articulation	Zone directement concernée, zones harmoniques (ex.: coude-genou), zones sur le pied et la main
Arthrite, arthrose, rhumatisme	Inflammation des articulations, des tendons ou des muscles	Système lymphatique, reins, foie, glandes endocrines, gros intestin, zones du corps les plus affectées
Blessure aux ménisques des genoux	Lésion de la formation fibro-cartilagineuse située entre les deux surfaces articulaires du genou, nécessitant parfois une chirurgie	Genoux, vertèbres lombaires, hanches, ganglions lymphatiques de l'aine, zones harmoniques (ex.: genou-coude)
Bursite	Inflammation de la bourse séreuse du genou, du coude ou de l'épaule	Zones harmoniques (ex.: épaule-hanche), surrénales, parathyroïdes, système lymphatique
Crampe	Contraction douloureuse, involontaire d'un muscle ou d'un groupe de muscles	Presser la langue entre les lèvres, parathyroïde, colonne vertébrale, zones harmoniques
Fièvre rhumatismale	Inflammation du tissu conjonctif entourant les articulations	Voir un médecin. Hypophyse, surrénales, thyroïde, thymus, ovaires

Système ostéo-musculaire:

Problèmes de santé	Description	Zones réflexes
Foulure, entorse	Distension des ligaments articulaires	Zones harmoniques (ex.: poignet-cheville), zones sur le pied et sur la main
Fracture	Rupture d'un os	Voir un médecin. Zones harmoniques (ex.: humérus-fémur, radius-tibia, cubitus-péroné), zones sur le pied et sur la main
Goutte	Inflammation autour des articulations avec dépôt d'urates	Surrénales, reins, uretères, vessie, foie, système lymphatique, zones du corps les plus affectées
Hernie discale	Déchirure du tissu d'un disque intervertébral	Voir un orthothérapeute ou un chiropraticien, colonne vertébrale, hypophyse
Mal de dos	Douleur dans le dos, souvent d'origine musculaire	Colonne vertébrale, plexus solaire, diaphragme
Myasthénie	Faiblesse musculaire sans atrophie	Parathyroïdes, surrénales, foie
Ostéoporose	Décalcification des os qui deviennent poreux	Parathyroïdes, surrénales, glandes génitales (ovaires et testicules)

Système ostéo-musculaire:

Problèmes de santé	Description	Zones réflexes
Scoliose	Déviation de la colonne vertébrale dans le sens transversal	Colonne vertébrale, système endocrinien en particulier hypophyse, thyroïde, gonades (ovaires et testicules)
Spasme	Contraction brusque, violente et involontaire d'un ou de plusieurs muscles	Presser la langue entre les lèvres, parathyroïde, colonne vertébrale, zones harmoniques
Tendinite	Inflammation d'un tendon	Surrénales, système lymphatique, zones harmoniques (ex.: genou-coude)
Torticolis	Torsion douloureuse du cou avec inclinaison de la tête	Voir un chiropraticien ou un orthothérapeute, cou, vertèbres cervicales, trapèzes, surrénales, système lymphatique

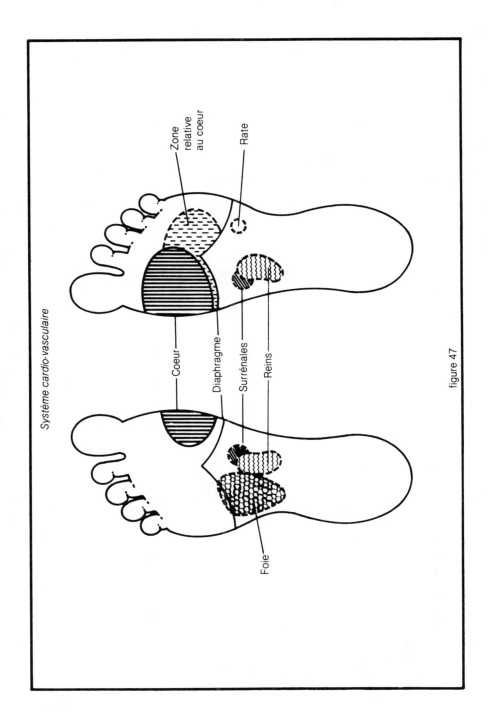

Système cardio-vasculaire

Zone
relative
au coeur

Rate

Coeur

Diaphragme

Surrénales

Reins

Foie

figure 47

122

Système cardio-vasculaire:

Beaucoup de problèmes du système cardio-vasculaire requièrent, de toute urgence, les soins d'un médecin. Le rôle de la réflexologie est donc de faciliter la convalescence de la personne.

Problèmes de santé	Description	Zones réflexes
Anémie	Diminution du nombre de globules rouges du sang et de leur teneur en hémoglobine	Rate, foie
Anévrisme	Dilatation anormale des parois d'un vaisseau sanguin ou d'une cavité cardiaque	Voir un médecin. Cerveau
Angine de poitrine	Spasme des artères qui nourrissent le coeur	Voir un médecin. Coeur, plexus solaire, diaphragme, poumons, colonne vertébrale surtout les cervicales et les dorsales, anse du sigmoïde
Artériosclérose et athérome	Durcissement des artères avec parfois dépôts de plaques lipidiques	Système endocrinien en particulier les gonades, thyroïde, surrénales, foie, massage général pied-main-tête
Arythmie cardiaque	Irrégularités du rythme cardiaque	Coeur, surrénales, plexus solaire, diaphragme, vertèbres cervicales et dorsales, hypophyse
Bradycardie	Ralentissement du rythme cardiaque (moins de soixante pulsations par minute)	Coeur, surrénales, hypophyse, vertèbres dorsales

Système cardio-vasculaire:

Problèmes de santé	Description	Zones réflexes
Fièvre rhumatismale	Inflammation du tissu conjonctif entourant les articulations	Voir un médecin. Hypophyse, surrénales, thyroïde, thymus, ovaires
Hémorragie cérébrale	Effusion de sang hors des artères du cerveau provoquant de la paralysie, une perte de connaissance et même des dommages au cerveau	Voir un médecin. Cerveau (surtout les gros orteils)
Hémorroïdes	Varices formées à l'anus et au rectum par la dilatation des veines	Rectum (tendon d'Achille), foie
Hypertension	Tension artérielle supérieure à la normale	Rein, plexus solaire, diaphragme, hypophyse, thyroïde
Hypotension	Tension artérielle inférieure à la normale	Surrénales, hypophyse, thyroïde
Infarctus du myocarde	Nécrose d'une partie du muscle cardiaque	Voir un médecin. Surrénales, plexus solaire, diaphragme, stimulation du méridien du coeur par massage du bout du petit doigt gauche et par pression sous le menton
Occlusion coronarienne	Obstruction d'une artère alimentant le coeur, causée par de l'artériosclérose, une embolie ou une thrombose	Voir un médecin. Plexus solaire, diaphragme, poumons, colonne vertébrale, surtout les cervicales et les dorsales

Système cardio-vasculaire:

Problèmes de santé	Description	Zones réflexes
Phlébite	Inflammation d'une veine, accompagnée de la formation d'un caillot sanguin, souvent localisée aux jambes	Voir un médecin. Foie, gros intestin, zones harmoniques (ex.: jambe-bras)
Saignement de nez	Écoulement anormal de sang provenant des parois nasales	Rate, reins, plexus solaire, serviette avec eau froide sur la nuque
Tachycardie	Accélération du rythme des battements du coeur	Thyroïde, vertèbres cervicales, surrénales, plexus solaire, diaphragme
Taux anormal de cholestérol	Quantité anormalement élevée de cholestérol dans l'organisme (cerveau, plasma sanguin, bile) pouvant provoquer l'artériosclérose et former des calculs biliaires	Thyroïde, foie
Thrombose	Formation d'un caillot dans un vaisseau sanguin ou dans une des cavités du coeur	Voir un médecin. Foie
Varices	Dilatation permanente d'une veine	Foie, gros intestin, coeur, surrénales, zones harmoniques sur le bras, hypophyse, thyroïde, pancréas

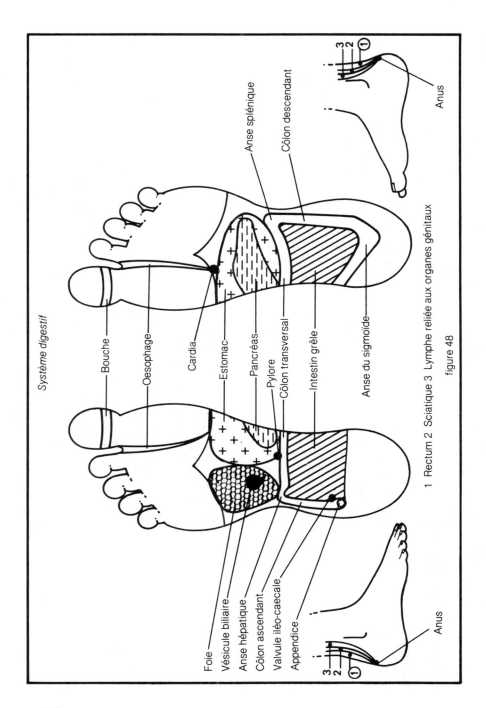

Système digestif

Bouche
Oesophage
Cardia
Estomac
Pancréas
Pylore
Côlon transversal
Intestin grêle
Anse du sigmoïde

Anse splénique
Côlon descendant

Anus

Foie
Vésicule biliaire
Anse hépatique
Côlon ascendant
Valvule iléo-caecale
Appendice

Anus

1 Rectum 2 Sciatique 3 Lymphe reliée aux organes génitaux

figure 48

126

Système digestif:

Problèmes de santé	Description	Zones réflexes
Appendicite	Inflammation de l'appendice	Voir un médecin. Côlon ascendant, appendice, surrénales, ganglions lymphatiques de l'aine
Calculs biliaires	Particules de lipides, surtout de cholestérol, qui se cristallisent dans la vésicule biliaire ou dans les conduits biliaires	Vésicule biliaire, foie, thyroïde
Cirrhose	Affection du foie caractérisée par des granulations d'un jaune roux	Voir un médecin. Foie, pancréas, reins, glandes endocrines
Colite	Inflammation du gros intestin	Surrénales, côlon descendant, anse du sigmoïde, vésicule biliaire, diaphragme, vertèbres lombaires
Constipation	Difficulté dans l'évacuation des selles	Gros intestin, anse du sigmoïde, vésicule biliaire, foie, diaphragme, surrénales, vertèbres lombaires, sacrées et coccygiennes
Diabète	Troubles chroniques du métabolisme causés par une sécrétion insuffisante d'insuline	Pancréas, surrénales, hypophyse, foie

Système digestif:

Problèmes de santé	Description	Zones réflexes
Diarrhée	Évacuation fréquente de selles liquides	Vésicule biliaire, foie, valvule iléo-caecale, gros intestin, diaphragme, plexus solaire, surrénales
Diverticulite	Inflammation des diverticules (hernies dans la paroi du côlon)	Surrénales, côlon (surtout côlon descendant), anse du sigmoïde, foie, vésicule biliaire, diaphragme, plexus solaire
Flatulence	Accumulation de gaz dans les intestins se traduisant par un ballonnement abdominal	Gros intestin, surtout l'anse du sigmoïde, foie, estomac, vésicule biliaire, intestin grêle, pancréas
Hémorroïdes	Varices formées à l'anus et au rectum par la dilatation des veines	Rectum (tendon d'Achille), foie
Hépatite	Affection inflammatoire du foie	Foie, surrénales, reins, système lymphatique, en particulier thymus, gros intestin
Hernie	Tumeur molle formée par un organe, totalement ou partiellement, sorti de la cavité qui le contient à l'état normal	Surrénales, diaphragme, plexus solaire, région concernée (ex.: aine pour hernie inguinale, estomac et diaphragme pour hernie hiatale

Système digestif:

Problèmes de santé	Description	Zones réflexes
Hypoglycémie	Diminution ou insuffisance du taux de glucose (sucre) dans le sang causée par une sécrétion excessive d'insuline	Pancréas, surrénales, foie, hypophyse
Indigestion	Indisposition momentanée due à une digestion qui se fait mal ou incomplètement	Foie, vésicule biliaire, estomac, pancréas, intestin grêle, diaphragme, plexus solaire
Jaunisse (ictère)	Coloration jaune de la peau et des muqueuses due à des pigments biliaires dans les tissus	Voir un médecin. Foie, vésicule biliaire, rate, pancréas
Mal de dents	Douleur aux dents et aux gencives	Gencives, système lymphatique relié aux gencives, mordre les index
Obésité	Excédent de poids	Thyroïde, hypophyse, glandes génitales (ovaires et testicules)
Ulcère	Lésion des muqueuses	Surrénales, plexus solaire, diaphragme, estomac, intestin grêle, région concernée

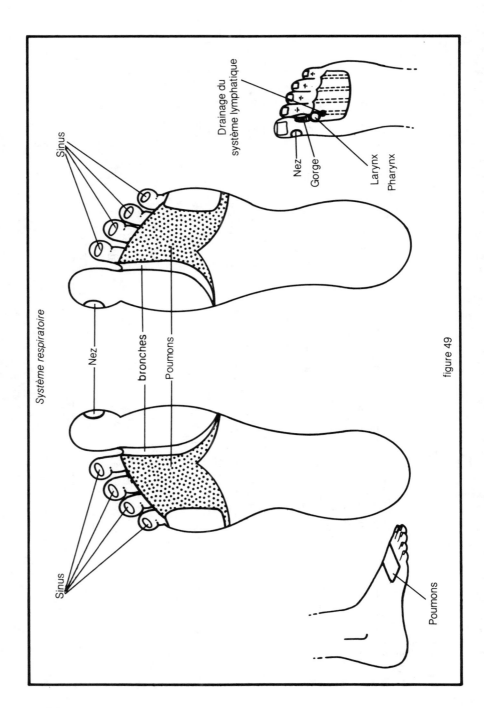

Système respiratoire

Sinus

Sinus

Nez

bronches

Poumons

Drainage du
système lymphatique

Nez

Gorge

Larynx

Pharynx

Poumons

figure 49

130

Système respiratoire:

Problèmes de santé	Description	Zones réflexes
Amygdalite, laryngite, pharyngite	Inflammation des amygdales, du larynx ou du pharynx	Amygdales, larynx, pharynx, surrénales, système lymphatique, en particulier thymus, vertèbres cervicales
Asthme	Spasme des bronches qui nuit surtout à l'expiration et qui s'accompagne souvent d'une augmentation des sécrétions bronchiques	Surrénales, diaphragme, plexus solaire, poumons, bronches, valvule iléo-caecale
Bronchite	Inflammation de la muqueuse des bronches	Bronches, surrénales, valvule iléo-caecale, système lymphatique
Croup	Spasmes du larynx, surtout chez l'enfant, rendant la respiration difficile et provoquant une toux bruyante	Larynx, valvule iléo-caecale, bronches, poumons, surrénales, vertèbres cervicales
Emphysème pulmonaire	Dilatation permanente des alvéoles pulmonaires causant une toux chronique et de la dyspnée à l'effort	Poumons, bronches, surrénales, valvule iléo-caecale, diaphragme, plexus solaire, système lymphatique

Système respiratoire:

Problèmes de santé	Description	Zones réflexes
Fièvre des foins	Réaction allergique affectant les conjonctives des yeux, les muqueuses du nez et les sinus	Surrénales, tête, système lymphatique, valvule iléo-caecale
Mal de gorge	Douleur à la gorge	Gorge, valvule iléo-caecale, cou, surrénales, système lymphatique, en particulier thymus
Pleurésie	Inflammation de la plèvre (enveloppe des poumons)	Poumons, surrénales, système lymphatique
Pneumonie	Inflammation aiguë des poumons	Poumons, système lymphatique, gros intestin, système endocrinien
Rhume	Inflammation aiguë de la muqueuse nasale	Tête, système lymphatique, valvule iléo-caecale
Sinusite	Inflammation des sinus	Sinus, tête, cou, système lymphatique, surrénales, valvule iléo-caecale

Système respiratoire:

Problèmes de santé	Description	Zones réflexes
Toux	Expulsion bruyante d'air à travers la glotte rétrécie	Gorge, bronches, sinus, système lymphatique, valvule iléo-caecale
Végétations	Hypertrophie de l'amygdale pharyngienne logée à l'arrière de la cavité nasale	Tête, hypophyse, système lymphatique, en particulier thymus, nez, surrénales

Une action sur la langue s'avère très efficace pour régler la plupart des problèmes des voies respiratoires. Ainsi, tirer la langue avec un mouchoir, pendant quelques minutes, soulage de la toux, de l'asthme et des inflammations de la gorge et de l'arrière-gorge (amygdalite, laryngite, pharyngite).

De plus, presser près du frein de la langue, sur le plancher buccal pendant deux minutes avec un coton-tige, soulage de l'asthme. Pareillement, presser la langue entre les lèvres diminue les spasmes associés à la toux et à l'asthme, ou vous en débarrasse. Ajoutez ces techniques à la réflexologie des pieds et des mains pour obtenir de meilleurs résultats.

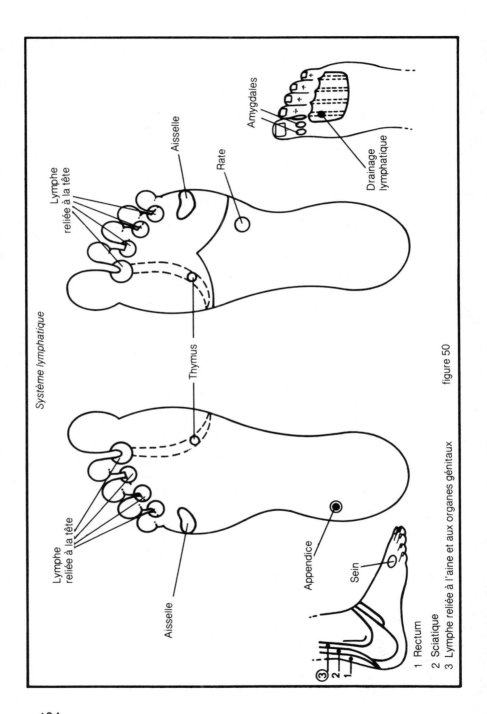

Système lymphatique

Lymphe reliée à la tête

Aisselle

Rate

Thymus

Amygdales

Drainage lymphatique

Lymphe reliée à la tête

Aisselle

Appendice

Sein

1 Rectum
2 Sciatique
3 Lymphe reliée à l'aine et aux organes génitaux

figure 50

134

Système lymphatique:

Problèmes de santé	Description	Zones réflexes
Amygdalite	Inflammation des amygdales	Amygdales, surrénales, vertèbres cervicales, système lymphatique, en particulier thymus
Appendicite	Inflammation de l'appendice	Voir un médecin. Appendice, surrénales, côlon ascendant, ganglions lymphatiques de l'aine
Infections	Problèmes qui résultent de la pénétration dans l'organisme de microbes, bactéries ou virus	Surrénales, système lymphatique, régions concernées
Leucémie	Maladie caractérisée par une augmentation des leucocytes dans le sang et une prolifération des cellules du tissu lymphatique	Voir un médecin. Rate, système lymphatique, système endocrinien
Oedème	Gonflement diffus causé par une accumulation anormale de liquide dans les espaces intercellulaires des tissus	Reins, surrénales, uretères, vessie, système lymphatique, régions concernées
Végétations adénoïdes	Hypertrophie de l'amygdale pharyngienne logée à l'arrière de la cavité nasale	Tête, hypophyse, nez, surrénales, système lymphatique, en particulier thymus

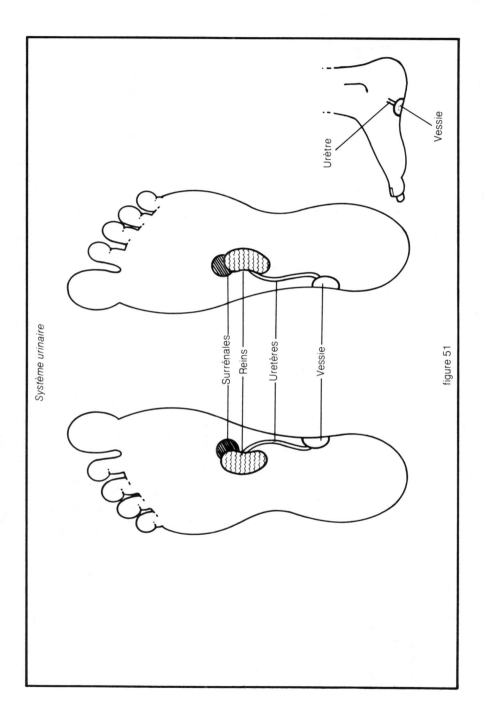

Système urinaire

Surrénales
Reins
Uretères
Vessie

Urètre
Vessie

figure 51

136

Système urinaire:

Problèmes de santé	Description	Zones réflexes
Calculs rénaux	Pierres de sels minéraux ou de matières organiques formées dans le rein	Reins, uretère, vessie, diaphragme, parathyroïde, hypophyse
Cystite	Inflammation de la vessie	Surrénales, reins, uretères, vessie, ganglions lymphatiques de l'aine
Dysurie	Difficulté d'uriner	Reins, uretères, vessie, surrénales, vertèbres lombaires
Enurésie et incontinence	Émission involontaire d'urine	Surrénales, reins, uretères, vessie, vertèbres lombaires
Goutte	Inflammation douloureuse autour des articulations, avec dépôt d'urates	Surrénales, reins, uretères, vessie, foie, système lymphatique, zones du corps les plus affectées
Insuffisance rénale	Déficience des reins	Surrénales, reins, uretères, vessie, vertèbres dorsales et lombaires
Néphrite	Inflammation des néphrons du rein	Voir un médecin. Surrénales, reins, uretères, vessie, système lymphatique
Oedème	Gonflement diffus causé par une accumulation anormale de liquide dans les espaces intercellulaires des tissus	Surrénales, reins, uretères, vessie, système lymphatique, régions concernées
Urémie	Accumulation dans le sang de produits azotés, en général liée à une insuffisance grave de la fonction des reins	Surrénales, reins, uretères, vessie

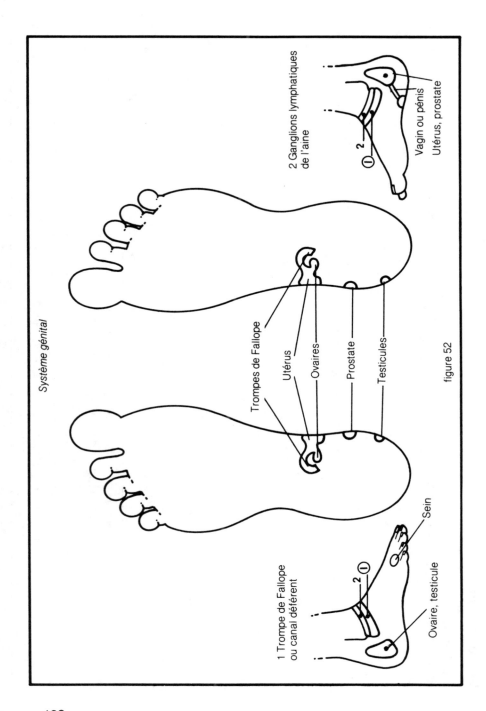

Système génital

figure 52

Trompes de Fallope
Utérus
Ovaires
Prostate
Testicules

2 Ganglions lymphatiques
de l'aine

Vagin ou pénis
Utérus, prostate

1 Trompe de Fallope
ou canal déférent

Sein

Ovaire, testicule

Système génital:

Problèmes de santé	Description	Zones réflexes
Affections de la prostate	Habituellement, inflammation et hypertrophie de la prostate se traduisant par des mictions pénibles	Prostate, testicules, système urinaire, hypophyse, vertèbres lombaires, ganglions lymphatiques de l'aine
Aménorrhée	Absence de flux menstruel chez une femme en âge d'être réglée	Utérus, ovaires, trompes de Fallope, hypophyse, surrénales
Congestion des seins	Gonflement des ganglions lymphatiques des seins	Poitrine, hypophyse, ovaires, système lymphatique
Crampes menstruelles	Crampes abdominales associées à la période menstruelle	Ovaires, utérus, trompes de Fallope, hypophyse, gros intestin, diaphragme, vertèbres lombaires et sacrées
Dysménorrhée	Menstruations douloureuses et difficiles	Mêmes zones réflexes que pour les crampes menstruelles
Hystérectomie	Ablation de l'utérus et parfois des ovaires et des trompes de Fallope	Hypophyse, ovaires, utérus, trompes de Fallope, surrénales, thyroïde
Impuissance	Incapacité physique d'accomplir l'acte sexuel normal pour l'homme	Prostate, testicules, canaux déférents, système endocrinien, plexus solaire, diaphragme, vertèbres sacrées et lombaires

Système génital:

Problèmes de santé	Description	Zones réflexes
Infertilité	Dysfonctionnement des organes reproducteurs (trompes de Fallope obstruées, ovulation irrégulière, libido supprimée, nombre de spermatozoïdes insuffisant, etc.)	Ovaires, trompes de Fallope, utérus, testicules, prostate, canaux déférents, hypophyse, surrénales
Kystes sur les ovaires ou sur les seins	Masse pathologique sur les ovaires ou sur les seins	(Attention: éviter le café, le thé, le chocolat) Hypophyse, ovaires, poitrine, système lymphatique
Mastite	Inflammation de la glande mammaire	Poitrine, surrénales, hypophyse, système lymphatique
Ménopause	Arrêt de l'ovulation et des menstruations	Système endocrinien, système génital, diaphragme
Problèmes reliés à la grossesse	Habituellement, nausées et oedème.	(Attention! ne massez pas les zones réflexes du système génital, car cela pourrait déclencher un avortement) Estomac, système urinaire, système lymphatique
Problèmes reliés à la ligature des trompes de Fallope	Dérèglement hormonal provoquant des nausées, des maux de tête, etc.	Hypophyse, ovaires, utérus, trompes de Fallope

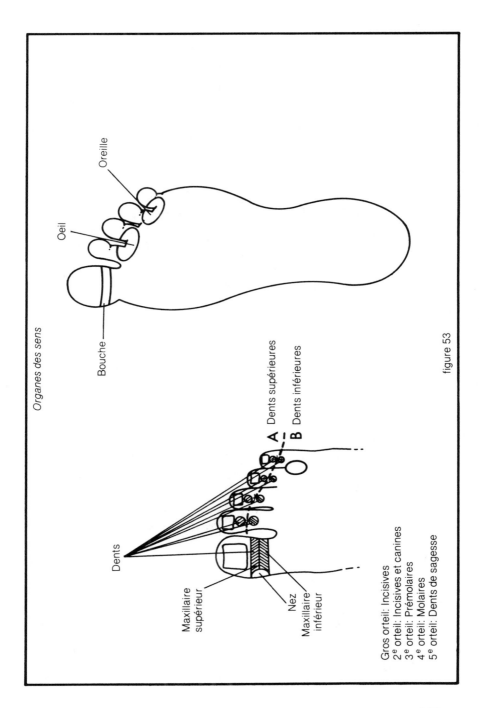

Organes des sens

Oreille

Oeil

Bouche

Dents

A Dents supérieures
B Dents inférieures

Maxillaire supérieur

Nez

Maxillaire inférieur

Gros orteil: Incisives
2e orteil: Incisives et canines
3e orteil: Prémolaires
4e orteil: Molaires
5e orteil: Dents de sagesse

figure 53

141

Organes des sens — oeil:

Problèmes de santé	Description	Zones réflexes
Atrophie du nerf optique	Dégénérescence des fibres du nerf optique accompagnée d'une diminution de la vision	Yeux, reins, cou, foie, système lymphatique associé aux yeux
Cataracte	Opacité du cristallin de l'oeil	Yeux, reins, cou, hypophyse, système lymphatique associé aux yeux
Chalazion	Petite tumeur non inflammatoire située dans la paupière et produite par l'oblitération d'une glande	Yeux, reins, foie, rate, système lymphatique associé aux yeux
Conjonctivite	Inflammation des membranes qui tapissent l'intérieur de l'oeil et des paupières	Yeux, reins, cou, rate, surrénales, système lymphatique associé à la tête
Décollement de la rétine	Séparation partielle ou complète de la rétine de la choroïde provoquant des troubles de la vue et causant une perte partielle et même complète de la vision si non traitée	Voir un ophtalmologiste. Yeux, reins, cou, foie, système lymphatique associé aux yeux
Fatigue visuelle	Picotement ou sensation de brûlure aux yeux	Yeux, reins, surrénales, foie, système lymphatique relié aux yeux

	Description	Zones réflexes
Glaucome	Pression excessive des liquides à l'intérieur du globe oculaire	Yeux, reins, surrénales, foie, cou, système lymphatique relié aux yeux
Iritis	Inflammation de l'iris	Voir un ophtalmologiste. Yeux, surrénales, reins, foie, cou, système lymphatique relié au yeux
Orgelet	Petit bouton purulent situé sur le bord de la paupière	Yeux, surrénales, reins, cou, rate, système lymphatique relié à la tête

Organes des sens — oreille:

Problèmes de santé	Description	Zones réflexes
Bourdonnement d'oreilles	Sons (bruit sourd, tintement, sifflement, etc.) perçus par l'oreille et provoqués par des troubles physiologiques (cire accumulée, dents de sagesse en mauvais état, trompes d'Eustache bloquées, etc.)	Oreilles, cou, surrénales, reins, dents, trompes d'Eustache, système lymphatique relié à la tête
Mal de mer	Malaises (nausées, vomissements, étourdissements) dus au mouvement d'un véhicule	Oreilles, estomac, diaphragme, vertèbres cervicales et dorsales
Otalgie	Douleur d'oreille	Oreilles, dents, cou, surrénales, reins, trompes d'Eustache, système lymphatique relié à la tête

Otite	Inflammation aiguë ou chronique de l'oreille	Voir un médecin. Oreilles, surrénales, reins, trompes d'Eustache, système lymphatique relié à la tête
Surdité	Diminution ou perte du sens de l'ouie	Oreilles, dents, reins, vertèbres cervicales, système lymphatique relié à la tête
Vertige	Étourdissements qui peuvent s'accompagner de troubles de l'équilibre	Oreilles, trompes d'Eustache, foie, reins, pancréas, vertèbres cervicales

Organes des sens — peau:

Problèmes de santé	Description	Zones réflexes
Acné	Lésion de la peau au niveau des follicules pilo-sébacés	Foie, surrénales, reins, poumons, ovaires, thyroïde, gros intestin, système lymphatique
Brûlure, coup de soleil, coupure, piqûre	Lésions diverses de la peau	Application de vitamine E liquide sur la région endolorie; surrénales, hypophyse, foie, zones harmoniques (ex: main-pied)
Eczéma	Affection cutanée caractérisée par des rougeurs, des vésicules suintantes	Surrénales, reins, foie, gros intestin, poumons, thyroïde, système lymphatique

Psoriasis	Maladie de la peau caractérisée par des taches rouges recouvertes de squames abondantes, localisées surtout aux coudes, aux genoux et au cuir chevelu	Foie, vésicule biliaire, thyroïde, surrénales, reins, gros intestin, poumons, système lymphatique
Sécheresse de la peau	Épiderme couvert d'une couche de cellules mortes et sèches, par suite d'un ralentissement de la régénération cellulaire	Thyroïde, surrénales, poumons, foie
Transpiration excessive	Excrétion trop abondante de sueur	Surrénales, reins, poumons, foie, système lymphatique
Ulcère	Lésion de la peau ou d'une muqueuse qui ne se cicatrise pas normalement	Surrénales, plexus solaire, diaphragme, estomac, foie, hypophyse, poumons, régions concernées
Urticaire	Éruption passagère de papules rosées ou blanchâtres	Surrénales, estomac, plexus solaire, diaphragme, foie, poumons, gros intestin, système lymphatique
Verrue, kyste et tumeur	Excroissance formée par une prolifération anormale de cellules	Hypophyse, foie, ovaires et testicules
Vitiligo	Problème de pigmentation de la peau caractérisée par la présence de taches blanches	Foie, épiphyse, surrénales, rate
Zona	Affection d'origine virale caractérisée par une éruption de vésicules disposées sur le trajet des nerfs sensitifs	Prendre de la vitamine «B»; surrénales, thymus, hypophyse, diaphragme, colonne vertébrale, systèmes lymphatique et endocrinien

Organes des sens — bouche et nez:

Problèmes de santé	Description	Zones réflexes
Feu sauvage (herpès)	Éruption d'origine virale située générale-ment sur les lèvres	Prendre des comprimés de lysine (acide aminé)*; système lymphatique, en particulier thymus, surrénales, esto-mac, lèvres
Mal de dents	Douleur aux dents et aux gencives	Gencives, mordre les index, système lymphatique relié aux gencives
Mauvaise haleine	Odeur désagréable dégagée par l'haleine	Vérifier l'état des dents; gorge, amyg-dales, estomac, pancréas, foie, gros intestin
Oreillons	Maladie infectieuse caractérisée par une inflammation des parotides	Surrénales, mâchoires, hypophyse, système lymphatique, en particulier thymus
Perte de goût et d'odorat	Incapacité de bien percevoir les odeurs et les saveurs	Prendre des comprimés de zinc; nez, poumons, rate, gencives, mâchoires
Polypes du nez	Tumeurs généralement bénignes, dues à une excroissance de la muqueuse du nez	Hypophyse, surrénales, nez, poumons, système lymphatique, en particulier thymus

Pyorrhée dentaire	Écoulement de pus entraînant un décollement et un ébranlement des dents	Gargariser avec eau citronnée; gencives, surrénales, foie, rate, gros intestin, système lymphatique relié aux dents
Saignement de nez	Écoulement anormal de sang provenant des parois nasales	Rate, reins, plexus solaire; placer une serviette froide sur la nuque
Stomatite	Inflammation de la muqueuse buccale	Surrénales, rate, estomac, gorge, système lymphatique relié aux dents

* La lysine se trouve surtout dans le poisson, le poulet, le boeuf, l'agneau, le lait, le fromage, les légumineuses — sauf les lentilles et le soya — les fruits et les légumes en général. Évitez temporairement le chocolat, les arachides, le blé et les noix. Le feu sauvage est une forme d'herpès. Utilisez la lysine et les mêmes zones réflexes pour les autres formes d'herpès.

Chapitre III

LES MÉRIDIENS, LES MERVEILLEUX VAISSEAUX ET LA KINÉSIOLOGIE

Il est nécessaire de comprendre les lois qui régissent les méridiens et les merveilleux vaisseaux si on veut exercer une action efficace sur le réseau énergétique du corps. Ce chapitre en présente d'abord les notions fondamentales et élémentaires. (Il va sans dire que pour mieux comprendre ce réseau, la consultation d'ouvrages spécialisés en acupuncture est très utile.*) Ensuite, il vous y sera expliqué comment vérifier l'énergie des méridiens par la kinésiologie et comment équilibrer le flot énergétique au besoin.

Méridiens:

La distribution de l'énergie aux différents organes du corps s'effectue par un réseau de «fils électriques» nommés méridiens. Bien qu'invisible à l'oeil, on en a confirmé l'existence et analysé les composantes par des techni-

---

* N. di Villadorata Massimo, Manupuncture, Éditions Guérin, 1980.

Lavier, Jacques André, *Médecine chinoise, Médecine totale*, Éditions Sélect, Montréal 1982.

Lacroix, Jean-Claude, Dr., *101 réponses sur l'acupuncture*, Éditions Hachette, France, 1981.

Borsarello Jean, *Acupuncture*, Éditions Masson, Paris, 1979.

ques modernes telles que l'électromagnétisme, la thermographie et l'électronique.

Le corps humain est sillonné par de nombreux méridiens: les douze méridiens principaux et les huit merveilleux vaisseaux. Ils seront analysés et, par la suite, utilisés très souvent pour harmoniser l'ensemble du corps.

Douze méridiens principaux:

Ils forment un circuit permanent dans lequel l'énergie circule sans interruption. Ils sont bilatéraux, ce qui signifie qu'ils sont reproduits identiquement et symétriquement sur les deux côtés du corps.

Ce circuit sillonne la surface du corps, mais chacun des méridiens pénètre à l'intérieur du corps par une branche profonde qui est reliée à l'organe dont il porte le nom, ce qui explique pourquoi toute action sur un point superficiel retentit sur le plan profond. Les douze méridiens bilatéraux se divisent en deux catégories: six yin (négatifs) et six yang (positifs).

Les six méridiens yin (−) sont situés à l'avant du corps et sur la face interne des bras et des jambes. **Ils soutiennent, appuient et nourrissent les méridiens yang.** Les cinq organes pleins (poumons, rate, coeur, foie, rein) correspondent aux fonctions de circulation et s'associent aux méridiens yin.

Le méridien yin «maître du coeur», appelé aussi circulation-sexe ou péricarde, est lié à la fonction du système nerveux sympathique.

Les six méridiens yang (+) sont situés à l'arrière du corps et sur la face externe des bras et des jambes, à l'exception du méridien de l'estomac qui est situé sur l'avant du corps. **Ils protègent et défendent les méri-**

diens yin. Les cinq viscères creux (gros intestin, intestin grêle, estomac, vessie, vésicule biliaire) sont reliés aux méridiens yang et assurent les fonctions de digestion.

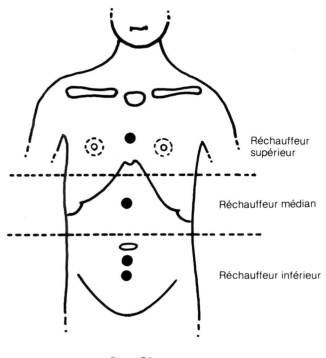

Réchauffeur supérieur

Réchauffeur médian

Réchauffeur inférieur

figure 54
Le triple réchauffeur

Le méridien yang du triple réchauffeur parcourt trois régions génératrices de chaleur: le coeur, l'estomac et les intestins. Le niveau supérieur assure la respiration; le niveau médian, la digestion et le niveau inférieur, la reproduction et l'élimination. Le triple réchauffeur est lié au fonctionnement du système nerveux parasympathique.

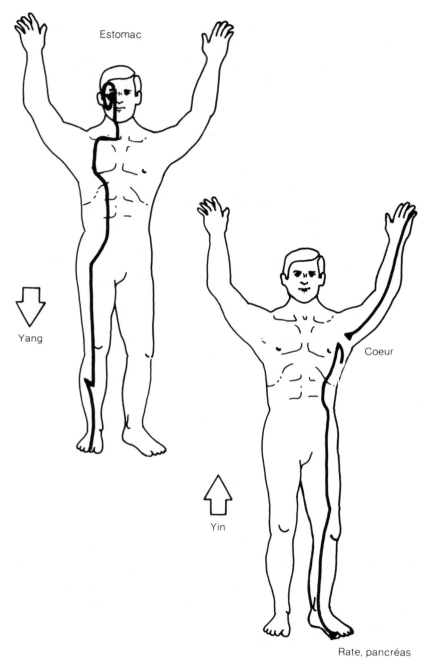

Figure 55: les méridiens

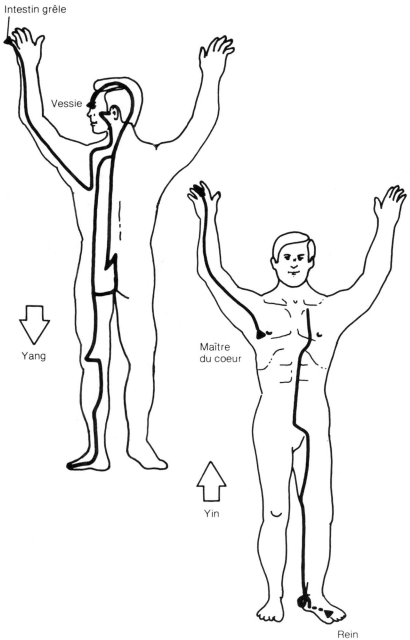

Figure 55: les méridiens

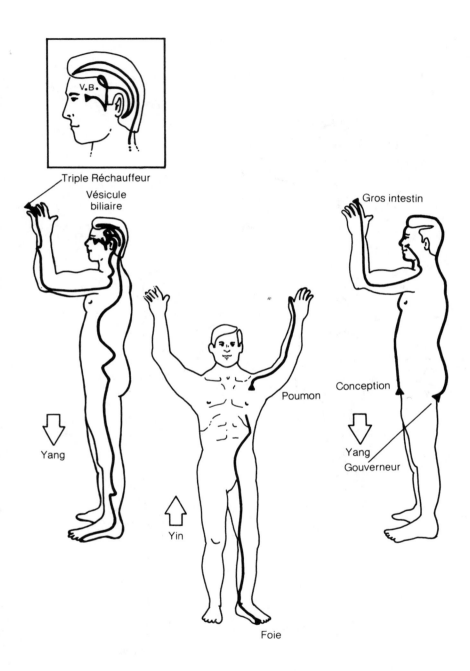

Triple Réchauffeur

Vésicule biliaire

Gros intestin

V.B.

Poumon

Conception

Yang

Yang
Gouverneur

Yin

Foie

Figure 55: les méridiens

Danse des méridiens:

Suivre le parcours des méridiens avec les mains constitue un exercice très vivifiant que vous adopterez sûrement. Il se fait en quatre étapes et l'heure du bain, ou de la douche, se prête merveilleusement à cette danse de la vie. Vous glissez lentement les mains sur la peau, sans exercer de pression, en respectant scrupuleusement le sens de la circulation de l'énergie dans les méridiens.

1. *Face interne des bras* (énergie négative):

Vous glissez la main gauche le long de la face interne du bras droit, *à partir de l'aisselle*, jusqu'au bout des doigts. Glissez ensuite la main droite sur la face interne du bras gauche de l'aisselle aux doigts.

2. *Face externe des bras* (énergie positive):

Vous glissez la main droite sur la face externe du bras gauche, en partant *du bout des doigts* et en allant jusqu'au visage. Glissez ensuite la main gauche sur la face externe du bras droit des doigts au visage.

3. *Face externe des jambes et dos* (énergie positive):

Glissez vos deux mains de la tête aux pieds, en passant par le dos et la face externe des jambes.

4. *Face interne des jambes* (énergie négative):

Glissez vos deux mains des pieds jusqu'à la clavicule en passant le long de la face interne des jambes.

Terminez le massage en parcourant le méridien gouverneur et le méridien conception (central). Ceux-ci montent en arrière et en avant sur la ligne médiane du corps et se terminent à la lèvre supérieure pour le méridien gouverneur et à la lèvre inférieure pour le méridien conception.

Les méridiens constituent le réseau électromagnétique de circulation de l'énergie qui met en relation le sang et les cellules. Toutes les vingt-quatre heures, l'énergie fait cinquante fois le trajet de la boucle des douze méridiens bilatéraux. Impressionnant, n'est-ce-pas?

À l'image des marées montantes et descendantes, il y a des heures où une quantité maximale d'énergie circule dans un méridien spécifique, tandis que, douze heures plus tard, il y circule une quantité minimale d'énergie.

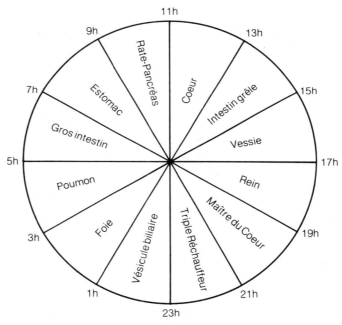

Cycle circadien des méridiens
figure 56

L'énergie du méridien du poumon, par exemple, est à son maximum de trois à cinq heures du matin, c'est pourquoi les crises d'asthme se produisent généralement au début de la nuit. Autre exemple, les gens vont à la selle le matin, au lever, parce que le gros intestin possède beaucoup d'énergie à ce moment-là.

L'estomac a une concentration maximale d'énergie entre sept et neuf heures et une concentration minimale d'énergie entre dix-neuf et vingt-et-une heures. C'est pourquoi il transformera plus efficacement le petit déjeuner que le souper. D'où l'on peut apprécier la justesse de l'adage qui dit: «Il faut déjeuner comme un roi, dîner comme un prince et souper comme un mendiant!»

Les méridiens ont non seulement un cycle circadien (vingt-quatre heures), mais aussi un cycle saisonnier. Selon la médecine chinoise, il est très important de le respecter si on veut se maintenir en bonne santé. Elle divise l'année en quatre saisons de soixante-treize jours et quatre inter-saisons de dix-huit jours. Ces dernières sont des périodes de transition énergétique qui se situent entre les saisons. Elles ne correspondent donc à aucune réalité astronomique.

Chaque saison fait «mûrir» un organe qui devient empereur et domine tous les autres pendant soixante-treize jours. Cela signifie que l'organe associé à la saison reçoit un surplus d'énergie lui permettant d'exercer plus facilement ses fonctions et de mieux affronter les conditions climatiques environnantes. Ainsi:
— le foie domine au printemps;
— le coeur domine à l'été;
— le poumon domine à l'automne;
— le rein domine à l'hiver;
— la rate domine seulement dans l'inter-saison entre l'été et l'automne, cependant, elle distribue le sang aux quatre autres organes essentiels (rein, foie, coeur, poumon) pendant les trois autres inter-saisons.

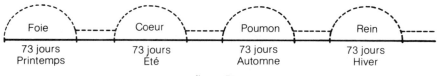

figure 57

S'il survient une perturbation énergétique, vérifiez à quelle saison et à quelle inter-saison elle se produit et quel organe lui est associé afin d'équilibrer son méridien. Voici les dates correspondant à chaque saison et à chaque inter-saison, selon la tradition chinoise:

Printemps: 6 février au 18 avril;
1ère inter-saison: 19 avril au 5 mai;
Été: 6 mai au 19 juillet;
2e inter-saison: 20 juillet au 5 août;
Automne: 6 août au 19 octobre;
3e inter-saison: 20 octobre au 5 novembre;
Hiver: 6 novembre au 19 janvier;
4e inter-saison: 20 janvier au 5 février.

Afin de vous aider à mieux comprendre les relations entre les éléments, les saisons, les organes, les conditions climatiques, les émotions et les saveurs, voici un schéma synthétique:

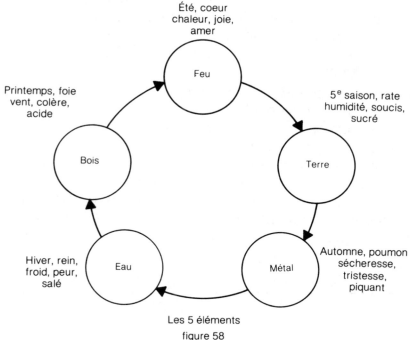

Les 5 éléments
figure 58

Merveilleux vaisseaux:

Les huit merveilleux vaisseaux tissent des liens entre toutes les parties du réseau énergétique du corps. Leur rôle est de régulariser le flot énergétique des méridiens principaux en transférant le surplus d'énergie des méridiens en hyperactivité à ceux en hypoactivité.

Comparons les merveilleux vaisseaux à des parents et les douze méridiens principaux à leurs enfants. Les premiers supervisent les seconds.

Six des huit merveilleux vaisseaux n'ont pas de points qui leur sont propres; ils empruntent certains points situés sur le trajet des méridiens principaux. Le flot vital ne circule pas constamment dans ces six merveilleux vaisseaux, contrairement aux méridiens principaux où l'énergie circule sans arrêt. Ces vaisseaux deviennent actifs seulement lorsqu'il y a des déséquilibres à corriger.

Les deux merveilleux vaisseaux situés sur la ligne centrale du corps (vaisseau conception et vaisseau gouverneur) ont leur trajet et leurs points propres où l'énergie circule de façon continue.

Si les huit merveilleux vaisseaux jouaient parfaitement leur rôle, les douze méridiens principaux laisseraient couler harmonieusement l'énergie sans aucun blocage. Cependant, il y a souvent dans la vie des tensions physiques et émotives qui perturbent l'action régulatrice des merveilleux vaisseaux.

Les merveilleux vaisseaux, aussi appelés «canaux psychiques», sont fortement — et facilement — influencés par la méditation, les émotions et le massage. Le massage des points reliés au trajet des merveilleux vaisseaux s'appelle Jin Shin Do. Pour obtenir une explication détaillée de cette technique, consultez le livre *Acupressure Way of Health: Jin Shin Do* par Iona Teeguarden, Éditions Japan Publications Inc, 1978.

Les quatre couples de merveilleux vaisseaux:

1. *Les grands vaisseaux régulateurs* (Yin oé et Yang oé):

Ce couple règle les activités de chacun des méridiens et guide leurs inter-actions. Le Yin oé (situé à l'avant du corps) contrôle tous les méridiens yin, il agit donc sur l'énergie nourricière du corps et rééquilibre le sang et les régions internes du corps. Le Yang oé (situé à l'arrière du corps) contrôle l'énergie de tous les méridiens yang, il régit donc l'énergie défensive et régularise le fonctionnement des régions externes du corps.

Le déséquilibre du régulateur yang peut souvent être à l'origine de rhumes ou d'accès de fièvre, tandis que celui du régulateur yin peut provoquer des douleurs cardiaques.

2. *Les grands vaisseaux de liaison* (Yin tsiao mo et Yang tsiao mo):

Ce sont des points qui assurent l'équilibre entre les méridiens yin et yang du corps: par exemple, entre le méridien du foie (yin) et son partenaire, le méridien de la vésicule biliaire (yang).

Lorsque le Yang tsiao mo (situé à l'arrière du corps) est bloqué, il y a excès d'énergie yang et insuffisance d'énergie yin, ce qui provoque de l'hyperactivité et de l'insomnie. Au contraire, lorsque le Yin tsiao mo (situé à l'avant) est bloqué, il y a excès d'énergie yin et insuffisance d'énergie yang, ce qui provoque de la fatigue et de la somnolence. Ces deux vaisseaux sont traditionnellement utilisés pour régulariser la tension artérielle (hyper ou hypotension).

3. *Les grands vaisseaux du centre* (Jenn mo, nommé aussi vaisseau conception et Tou mo, nommé également vaisseau gouverneur). *Le vaisseau concep-*

tion (situé à l'avant du corps) est le courant d'énergie le plus yin du corps. Tous les méridiens yin sont reliés à ce vaisseau. Il influence le bas de l'abdomen et les fonctions de reproduction. Sur le plan psychique, il permet d'arriver à la paix et à la sérénité intérieure ou, en cas de déséquilibre, peut provoquer l'inquiétude et l'agitation.

Le vaisseau gouverneur (situé à l'arrière du corps) est le courant d'énergie le plus yang du corps. Tous les méridiens yang sont reliés à ce vaisseau. Le vaisseau gouverneur influence la colonne vertébrale, procure de la vigueur physique et, sur le plan psychique, est responsable de la stabilité ou de l'instabilité nerveuse.

Ces deux vaisseaux permettent à chacun des méridiens bilatéraux d'équilibrer leur flot énergétique entre la gauche et la droite. Ainsi, si le méridien de la vésicule biliaire (yang) situé à gauche est en hyperactivité et le méridien de la vésicule biliaire situé à droite est en hypoactivité, le vaisseau gouverneur ne remplit pas correctement sa fonction et il faut l'harmoniser.

4. *Le grand vaisseau interne* (Tchrong mo) et *le grand vaisseau de ceinture* (Tae mo).

Le Tchrong mo, nommé la mer des douze méridiens, est le plus important des merveilleux vaisseaux, car il emmagasine l'énergie vitale provenant de la respiration, de l'alimentation et des fonctions de reproduction. Il la distribue ensuite aux autres merveilleux vaisseaux qui alimentent les douze méridiens principaux. La tradition chinoise relie le Tchrong mo (yin) aux testicules, à l'utérus et aux méridiens liés aux fonctions de reproduction chez la femme.

Le grand vaisseau de ceinture (yang) est le seul à posséder un trajet horizontal. Il influence fortement toute la région abdominale, là où se trouve le centre de notre énergie physique.

Les grands vaisseaux régulateurs

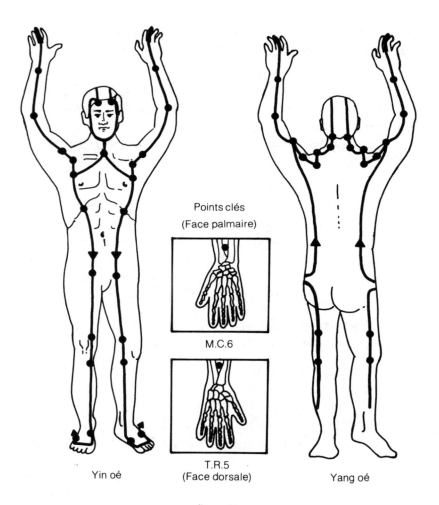

Points clés
(Face palmaire)

M.C.6

Yin oé

T.R.5
(Face dorsale)

Yang oé

figure 59

Les grands vaisseaux de liaison

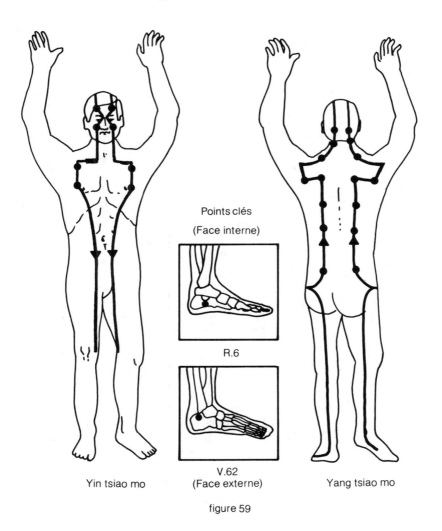

Points clés
(Face interne)

R.6

V.62
(Face externe)

Yin tsiao mo

Yang tsiao mo

figure 59

Les grands vaisseaux du centre

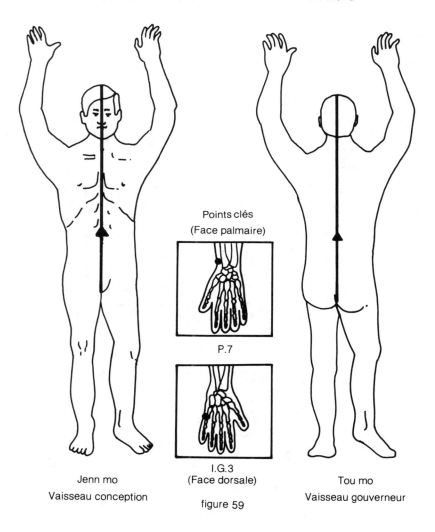

Points clés
(Face palmaire)

P.7

I.G.3
(Face dorsale)

Jenn mo
Vaisseau conception

figure 59

Tou mo
Vaisseau gouverneur

Le grand vaisseau interne

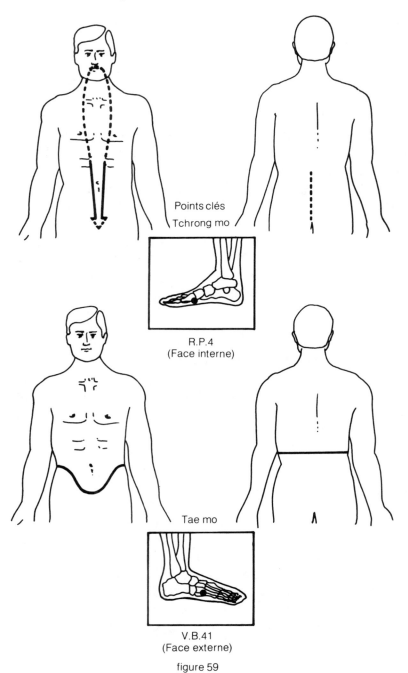

Points clés
Tchrong mo

R.P.4
(Face interne)

Tae mo

V.B.41
(Face externe)

figure 59

Comment équilibrer l'énergie des merveilleux vaisseaux:

Émotions:

L'énergie profonde des merveilleux vaisseaux est fortement influencée par nos réactions émotionnelles devant les difficultés de la vie. Le fait de se libérer de ses émotions, verbalement ou physiquement, s'avère essentiel pour que les merveilleux vaisseaux fonctionnent parfaitement.

L'éducation reçue par les femmes les pousse généralement à réprimer leur colère, émotion yang, tandis que l'on a appris aux hommes à ne pas exprimer leur tristesse et leurs peurs, émotion yin.

Le fait de réprimer ses émotions provoque une stase d'énergie qui déséquilibre automatiquement le circuit merveilleux vaisseaux, méridiens, organes. Il est essentiel de verbaliser les sentiments que nous éprouvons tout naturellement chaque fois que nous faisons une rencontre et que nous devons affronter les différents événements de notre vie.

Respiration en vagues:

La respiration en vagues, décrite dans la dernière partie de ce livre, est un outil précieux qui permet de régulariser le flot de certains merveilleux vaisseaux et d'équilibrer tout le système nerveux autonome. Les boucles du méridien du maître du coeur (associé au système nerveux sympathique) et du méridien triple réchauffeur (associé au système nerveux parasympathique) aident à atteindre cet équilibre. Ces boucles de méridiens sont décrites un peu plus loin dans ce chapitre.

Méditation:

La méditation constitue un excellent moyen d'atteindre l'énergie profonde des merveilleux vaisseaux. Elle permet de prendre contact avec son intuition et son monde intérieur, de recentrer ses énergies et de garder son calme intérieur en dépit du tumulte extérieur. Pour avoir des informations sur la façon de méditer, vous pouvez consulter des ouvrages sur ce sujet ou contacter des groupes qui font de la méditation.

Sommeil:

Le sommeil constitue un autre moyen très efficace pour recharger et équilibrer l'énergie des merveilleux vaisseaux. Attention à votre état d'âme et à la nature de votre dernière pensée juste avant de vous endormir ainsi qu'à celle de votre première sensation juste après l'éveil. Ces instants privilégiés conditionnent en grande partie la qualité de votre sommeil et de votre journée.

Si vous être troublé par des pensées tristes juste avant de vous endormir, votre sommeil sera perturbé par des rêves tristes ou angoissés. Il est d'une importance capitale de se rappeler qu'il faut être serein avant de s'endormir si on veut avoir un sommeil réparateur. Les moments précédant le sommeil, ou suivant l'éveil, sont des moments-clés, parce qu'ils sont reliés à l'énergie neutre, énergie de transition et de passage.

Sexualité:

De bons rapports sexuels harmonisent en particulier l'énergie du grand vaisseau de ceinture et des grands vaisseaux du centre. Une bonne communication verbale, et non verbale, associée à une respiration synchronisée et à une qualité de pression ajustée aux circonstances sont essentielles à l'épanouissement sexuel.

Si vous désirez améliorer la qualité de la communication avec votre conjoint, vous pouvez consulter un conseiller en relations conjugales ou encore un livre traitant de neuro-linguistique*, comme par exemple: *Les secrets de la communication* de Richard Bandler et John Grinder, Éditions du Jour, Montréal 1981, ou encore *Derrière la magie, la programmation neuro-linguistique* de Alain Cayrol et Josiane de Saint Paul, Inter Éditions, Paris 1984.

Selon Reich et Lowen, la respiration en vagues, telle que décrite dans le chapitre suivant, est intimement liée au réflexe orgastique. En ce qui a trait aux pressions et aux effleurements, il est essentiel de se rappeler que: «LES PRESSIONS FORTES CALMENT ET ENDORMENT L'ORGANISME et que L'EFFLEURAGE STIMULE TOUT LE CORPS.»

Nutrition:

Une saine alimentation permet de recharger certains merveilleux vaisseaux. De nombreux ouvrages décrivent les éléments de base d'une saine alimentation. Vous pouvez consulter les livres de Louise Lambert Lagacé, diététiste québécoise, qui propose diverses solutions à la surconsommation de viande, de sucre et de gras animal.

À éviter: sucre blanc raffiné, café, thé, alcool, boissons gazeuses et cigarettes. Remplacez-les par du bon miel, du café de céréales, des infusions de plantes, des huiles essentielles ainsi que par des jus de fruits et de légumes non sucrés.

---

* La programmation neuro-linguistique est une technique qui permet de mieux comprendre les processus utilisés par le cerveau pour coder et décoder les informations perçues par nos principaux canaux de perception: l'oeil, l'oreille et la peau.

Dans certains cas, un supplément d'acides aminés ou d'ARN (acide ribonucléique) semble aider à équilibrer l'énergie des merveilleux vaisseaux.

Massage des points des merveilleux vaisseaux:

Sur le trajet de la plupart des merveilleux vaisseaux, nous retrouvons des points qui appartiennent aux méridiens principaux, ce qui permet de transférer le surplus d'énergie d'un méridien vers un méridien déficient.

Les tensions et les blocages énergétiques se produisent fréquemment au niveau de ces points et perturbent le fonctionnement des merveilleux vaisseaux. Le massage libérateur de ces points permet à l'énergie de circuler à nouveau sans entrave dans tout le réseau énergétique.

Les principaux points réflexes des merveilleux vaisseaux qu'il faut stimuler sont illustrés dans la figure numéro 59. Pour obtenir plus de précisions sur l'endroit exact où est situé chacun de ces points, vous pouvez consulter un ouvrage d'acupuncture.

L'acupuncture nous enseigne que l'essence du travail sur les merveilleux vaisseaux consiste à utiliser les *points-clés* qui ouvrent ces vaisseaux. Ces points-clés sont illustrés sur la figure numéro 59. Il suffit souvent de les masser pour corriger le déséquilibre énergétique des merveilleux vaisseaux. Il est parfois utile de masser aussi quelques points situés sur le trajet des merveilleux vaisseaux.

La kinésiologie s'avère un très bon instrument d'évaluation pour déterminer lesquels des merveilleux vaisseaux ont besoin d'aide et quels sont les points à masser sur leur trajet. En effet, elle nous révèle ce que notre corps sait déjà et peut guider le cours de votre action quand vous ignorez quelle partie de ce réseau est déficiente en énergie. Consultez la partie ultérieure de ce chapitre où sont décrits les tests musculaires.

Vous pouvez localiser facilement, par la palpation, tous les points d'acupuncture. En effet, ils se retrouvent tous dans des petites cavités situées dans les os ou encore dans des petites dépressions situées entre les fibres musculaires.

Si vous ne trouvez pas aisément ces petites cavités, fiez-vous aux points les plus tendus: ils sont souvent très sensibles lorsqu'on les presse. Il arrive cependant que certaines régions musculaires soient tellement tendues et durcies que la personne ne sente presque pas de douleur lors de la pression.

Une méthode très efficace pour débloquer l'énergie des merveilleux vaisseaux (à l'exception des merveilleux vaisseaux du centre) et de la remettre en circulation par la suite consiste:

1. À choisir et à tenir avec les pouces une paire de points symétriques, c'est-à-dire situés à la même hauteur de chaque côté du corps.

2. À presser fermement le point situé à droite, puis à faire une rotation au moment de l'expiration et à relâcher la pression à l'inspiration, tout en gardant le contact avec l'autre point. Règle générale, vous effectuez des mouvements de rotation soit pour concentrer l'énergie lorsque vous massez sur l'avant du corps et la face externe des bras et des jambes (⌒⌒), soit pour la disperser lorsque vous massez dans le dos et la face interne des bras et des jambes (⌣⌣).

Si vous n'êtes pas sûr du sens de rotation, essayez d'abord de concentrer et ensuite de disperser l'énergie, vous trouverez intuitivement ce qu'il faut faire.

3. À procéder de la même manière pour le point situé à gauche, tout en gardant le contact avec le point de droite. Alternez les massages entre la droite et la gauche pendant environ deux minutes.
4. À polariser les deux points symétriques en les pressant à quelques reprises simultanément, à l'expiration, puis en les relâchant légèrement à l'inspiration.
5. À masser les points jugés importants en suivant le sens du trajet des merveilleux vaisseaux, c'est-à-dire descendre sur l'extérieur des bras, de l'avant du corps et de l'intérieur des jambes et monter le long de l'extérieur des jambes, du dos et de l'intérieur des bras (voir figure 59).

Pour retenir aisément ces notions, il suffit de savoir que la circulation de l'énergie profonde des merveilleux vaisseaux se fait en sens inverse de celui de l'énergie superficielle des méridiens.

Le massage des points-clés s'effectue de la même manière que celui des points situés sur le trajet des merveilleux vaisseaux.

En résumé, les rotations faites *sur un seul point* ont pour but de débloquer l'énergie profonde qui est stagnante à l'intérieur des merveilleux vaisseaux, et ensuite les pressions exercées simultanément *sur deux points symétriques* remettent cette énergie en circulation. Il est essentiel d'exécuter les massages dans cet ordre, si vous voulez obtenir les meilleurs résultats possibles.

Si vous voulez polariser les grands vaisseaux du centre (Jenn mo et Tou mo), placez le majeur droit sur le point douloureux le plus bas du merveilleux vaisseau et l'index gauche sur le point douloureux le plus élevé. Notez qu'il ne faut exercer aucune pression quand vous polarisez le Tou mo parce qu'il est situé sur la colonne vertébrale. Par contre, effectuez, à l'expiration, une légère pression sur le Jenn mo quand vous le polarisez.

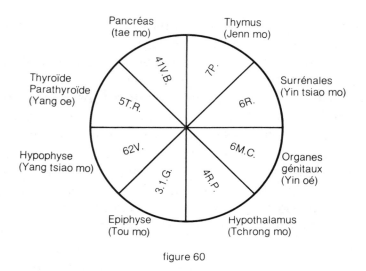

figure 60

Roue des merveilleux vaisseaux:

La roue des merveilleux vaisseaux peut être utilisée pour établir l'ordre de massage des vaisseaux déséquilibrés. Il est important de commencer par rééquilibrer le Tchrong mo en massant son point-clé (4 R P), car ce vaisseau, situé très en profondeur, véhicule l'énergie nourricière fournie par l'alimentation, la respiration et les fonctions de reproduction. Le massage de ce seul point suffit souvent à équilibrer l'ensemble des merveilleux vaisseaux.

Si, après ce massage, l'équilibre n'est pas rétabli, dans certains merveilleux vaisseaux, effectuez le massage des points-clés, puis de certains points situés sur le trajet de ces vaisseaux, en suivant la roue dans le sens des aiguilles d'une montre.

Grille d'harmonisation des merveilleux vaisseaux:

Afin de vous aider à choisir, parmi les moyens d'action les plus efficaces pour équilibrer l'énergie de vos merveilleux vaisseaux, vous trouverez une grille où sont

172

indiqués ces moyens d'actions et leurs effets sur les vaisseaux.

Pour obtenir les meilleurs résultats possibles, concentrez vos efforts sur les moyens les plus susceptibles d'agir sur le merveilleux vaisseau que vous voulez équilibrer. Commencez d'abord par masser le point-clé de ce vaisseau, puis choisissez les plus efficaces parmi les autres moyens.

Par exemple, si vous désirez régulariser le Yang Tsiao mo dont le déséquilibre est associé à de l'hyperactivité, à de l'insomnie et à de l'hypertension, massez d'abord le point-clé (6 2 V). De plus, vous pouvez aussi prendre de profondes respirations, pratiquer le yoga, ou méditer pour vous libérer de vos émotions, ou encore surveiller votre alimentation ou prendre des suppléments d'acides aminés.

Grille d'harmonisation des merveilleux vaisseaux:

	Yin oé	Yang oé	Yin tsiao mo	Yang tsiao mo	Jenn mo	Tou mo	Tchrong mo	Tae mo
Émotions	****	****	****	****	****	****	****	****
Sexualité	////	////	****	****	****	****	////	****
Méditation	****	****	****	****			****	****
Yoga	****	****	////	////	****	****	****	////
Sommeil	****	****	////	////	****	****	****	****
Respiration en vagues	****	****	****	****	****	****	****	****
Système nerveux autonome			////	////			////	****
Nutrition								
— alimentation	****	****	****	****	////	////	****	
— ARN	****	****					****	
— acides aminés	////	////	****	****	////	////		////
Massage								
— points-clés	****	****	****	****	****	****	****	****
— points du trajet	////	////	////	////	****	****	****	****

**** : Puissant moyen d'action qui régularise beaucoup le merveilleux vaisseau.

//// : Moyen d'action ayant un bon effet sur le merveilleux vaisseau.

: Moyen inefficace pour régulariser le merveilleux vaisseau.

Merveilleux vaisseaux et émotions:

L'action exercée sur les merveilleux vaisseaux est un outil précieux pour les libérer des énergies liées à différentes émotions et leur faire réintégrer correctement le réseau d'énergie.

Colère:

La colère est une émotion yang qui est associée au foie. L'énergie mise en branle par la colère stimule le méridien du foie, puis est véhiculée par le méridien de la vésicule biliaire.

L'énergie de la colère est ascendante, elle se concentre dans les épaules, le cou et le haut des bras. Elle nous empêche de penser clairement et de trouver la solution à nos problèmes.

Sous l'effet d'une décharge importante d'adrénaline, les rythmes cardiaque et respiratoire s'accélèrent et les muscles volontaires reçoivent un apport supplémentaire d'énergie grâce au glycogène libéré par le foie. Parallèlement, les fonctions digestives diminuent.

La colère soulève une vague d'énergie très forte, la personne éprouve donc un besoin de l'exprimer par la parole et par l'action physique. Il lui est nécessaire d'expliquer les raisons de sa colère afin de clarifier la situation, elle doit aussi laisser sortir la vapeur en se dépensant physiquement (gymnastique, sports, exercices). Une fois l'émotion passée, il est bon de respirer en vagues pour pouvoir recentrer ses énergies et retrouver son calme intérieur.

La colère contenue et réprimée produit une tension chronique dans le haut du dos, le cou et les épaules. Pour relâcher la musculature, il est particulièrement utile de masser certains points des merveilleux vaisseaux.

Points à masser pour annuler les effets de la colère:

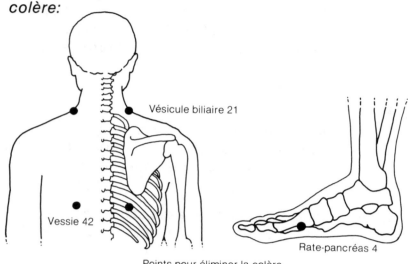

Points pour éliminer la colère

figure 61

— Vessie 42: Le massage de ce point libère l'organisme des effets produits par des colères réprimées et contenues. Il détend le diaphragme qui était tendu sous l'effet des colères réprimées. Ce point est situé entre la neuvième et la dixième côte, à environ deux largeurs de doigt, sous la pointe de l'omoplate.

— Vésicule biliaire 21: Le massage de ce point libère des tensions et des sensations d'irritation. Ce point est situé sur le trapèze à la base du cou.

— Rate — pancréas 4: Traditionnellement utilisé pour libérer de la colère et de la rage, le massage de ce point rétablit la circulation de l'énergie entre le haut et le bas du corps. Il est situé dans une petite cavité du métatarse placé en ligne avec le gros orteil.

Surexcitation:

La surexcitation est une émotion yang qui est associée à un excès de l'énergie du coeur. Un état chronique de surexcitation résulte de la recherche constante du plaisir et des sensations vives pour combler un vide intérieur. Cet état est surtout le lot des personnes qui manquent de contact avec leur centre intérieur, avec l'énergie du coeur, source de sagesse et d'amour.

La vie étant cyclique, nous devons apprendre à jouir sainement de nos activités sociales et à goûter pleinement les moments de tranquillité qui nous permettent une communion profonde avec l'essence spirituelle de notre être.

La paix, la sérénité, l'équilibre, l'harmonie et l'unité se retrouvent au centre intérieur de l'être. Si on le néglige pour ne répondre qu'aux sollicitations du monde extérieur, il peut en résulter une chute énergétique, source possible de dépression.

Nous pouvons apprendre à nous libérer de nos tensions dès qu'elles surgissent. Il faut pour cela écouter notre intuition pour capter et décoder les messages qu'elle nous transmet. Si vous placez simplement la paume de la main gauche sur le front et la main droite derrière la tête, vous calmerez rapidement l'agitation, en débranchant littéralement les deux hémisphères cérébraux. Les enfants réagissent avec une vitesse surprenante à ce simple exercice de polarité.

Coeur 7: Le massage de ce point aide à équilibrer l'énergie du coeur, à le calmer et à vaincre l'insomnie causée par la surexcitation. Massez, l'un après l'autre en faisant des rotations, les trois points réflexes du méridien du coeur, situés juste au-dessus de ce point (C6, C5 et C4). Pour finir, polarisez simultanément les quatre points du poignet droit avec ceux du poignet gauche. Si vous vous faites le massage, effectuez la polarisation des méridiens du coeur en balayant d'abord le bras droit et ensuite le bras gauche. C7 est situé sur le pli antérieur du poignet.

Points à masser pour calmer la surexcitation:

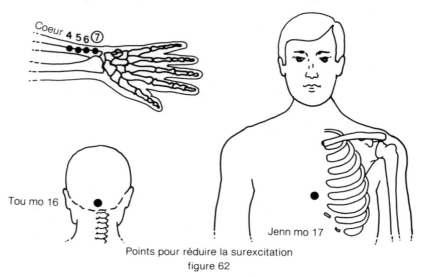

Points pour réduire la surexcitation
figure 62

Tou mo 16 et Jenn mo 17: Le massage de ces points détend l'esprit et le corps. Vous pouvez les presser simultanément en plaçant le majeur droit sur le TM 16 et l'index gauche sur JM 17; ou les presser l'un après l'autre si vous vous massez vous-même. Comme ces deux points se trouvent sur la ligne centrale du corps, exercez-y une légère pression. Tou mo 16 est situé directement au-dessous de la protubérance occipitale et Jenn mo 17 est placé à la hauteur des mamelons, sur la ligne qui passe entre les deux seins.

Inquiétude et obsession du passé:

L'inquiétude et l'obsession du passé génèrent des émotions associées à la rate. L'inquiétude paralyse le corps et l'empêche d'agir, car l'énergie tourne en rond à l'intérieur du corps et est gaspillée en pensées et en idées fixes. Cet état d'esprit prédispose les gens aux accidents, car leur attention est trop tournée vers leur

178

passé et ils sont moins présents à ce qui se passe autour d'eux.

L'obsession du passé fait que l'énergie se concentre au cerveau et que les gens la perdent en d'inutiles regrets parce qu'ils n'ont pas réussi leur vie comme ils le souhaitaient (mauvais choix de profession, ruptures sentimentales, vacances manquées, etc.).

Il est important cependant que les gens fassent un retour en arrière pour identifier les raisons qui ont motivé leur choix. Ils se rendront compte que la décision prise dans le passé a été la meilleure possible, compte tenu des circonstances l'ayant entourée.

Si, après cette réflexion, les gens n'arrivent pas à se débarrasser de leurs regrets inutiles et à vivre au présent, c'est que la situation actuelle n'est pas vraiment satisfaisante et mériterait d'être changée sous certains aspects. L'obsession du passé cesse d'exercer une emprise sur les gens dès que ceux-ci peuvent apprécier à la fois le présent et le passé.

Points à masser pour chasser l'inquiétude:

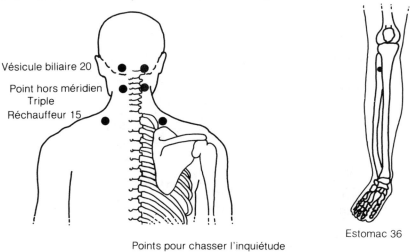

Vésicule biliaire 20

Point hors méridien Triple Réchauffeur 15

Estomac 36

Points pour chasser l'inquiétude

figure 63

Estomac 36: Le massage de ce point réduit l'anxiété en rééquilibrant l'énergie physique de tout l'organisme. Estomac 36 est situé à trois largeurs de doigt au-dessous de la rotule.

Triple réchauffeur 15: Le massage de ce point enlève la tension nerveuse souvent provoquée par l'inquiétude. Il a été traditionnellement utilisé dans les cas d'hypertension. Triple réchauffeur 15 est situé dans une petite cavité juste au-dessus de l'omoplate.

Vésicule biliaire 20 et point hors méridien: Le massage de ces points aident particulièrement l'esprit à se libérer de ses tensions et à se débarrasser de ses pensées obsédantes. Vésicule biliaire 20 est situé au-dessous de l'os occipital, entre les muscles trapèze et sterno-cléido-mastoïdien. Le point hors méridien est situé entre la troisième et la quatrième vertèbre cervicale, à deux largeurs de doigt du centre de la colonne vertébrale.

Points à masser pour supprimer l'obsession du passé:

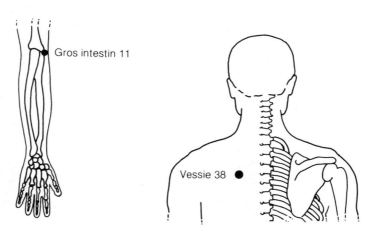

Points pour chasser l'obsession du passé
figure 64

Vessie 38: Le massage de ce point accroît la confiance en soi, c'est-à-dire la confiance en sa personnalité unique et en son essence spirituelle. Vessie 38 se trouve entre la colonne vertébrale et le bord interne de l'omoplate, dans l'espace compris entre la quatrième et la cinquième vertèbre dorsale.

Gros intestin 11: On dit que traditionnellement le massage de ce point débarrasse l'esprit de ses regrets et le désintoxique. Gros intestin 11 se trouve à l'extrémité externe du pli du coude lorsqu'il est plié.

Tristesse (deuil):

La tristesse est une émotion yin associée aux poumons. La tristesse est une réaction naturelle lors de la perte d'une personne chère ou d'un objet précieux. Elle s'exprime par des pleurs et provoque la peur du futur c'est-à-dire des craintes face à ce que sera l'avenir sans cette personne ou cette chose.

Si cette perte est comprise et acceptée, la réaction de deuil sera moins pénible. Lorsque les expériences de perte sont plus fortes que notre capacité de les absorber, elles affaiblissent le corps en dispersant son énergie vitale, ce qui peut rendre la personne vulnérable et, à plus long terme, lui faire perdre son instinct de conservation.

La compréhension et la compassion des proches peuvent être d'un très grand secours pour aider à surmonter cette période difficile. Une fois la phase aiguë passée, il est très important de bien se nourrir sur tous les plans afin de reconstruire son énergie vitale.

Points à masser pour chasser la tristesse:

Poumon 1: Le massage de ce point fait merveille pour libérer l'énergie qui s'y trouve bloquée à la suite d'une perte ou d'un traumatisme quelconque. On peut aussi le masser pour aider les gens à se détendre totalement.

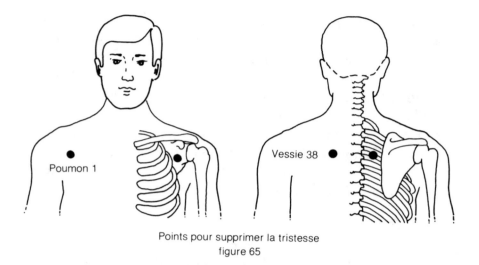

Points pour supprimer la tristesse
figure 65

Poumon 1 se situe à six largeurs de doigt de la ligne médiane du sternum, entre la première et la deuxième côte.

Vessie 38: Le massage de ce point aide à revitaliser le corps après une expérience de deuil. Vessie 38 se trouve entre la colonne vertébrale et le bord interne de l'omoplate, au niveau de l'espace compris entre la quatrième et la cinquième vertèbre dorsale.

Peur:

La peur est une émotion yin associée au rein. Elle draine l'énergie vers les intestins et les régions inférieures du corps. Souvent, les jambes tremblent et il peut même y avoir incontinence d'urine.

La respiration en vagues est un des meilleurs moyens pour lutter contre la peur. Insistez surtout sur l'inspiration qui se fait à partir du centre hara, (centre situé à quelques centimètres sous le nombril). Cette respiration abdominale approvisionne les centres vitaux en énergie et recentre les énergies afin de transformer la peur en courage, volonté et détermination. Elle permet aussi aux gens de se calmer, de retrouver leur lucidité et de réagir de façon positive devant les événements.

Points à masser pour vaincre la peur:

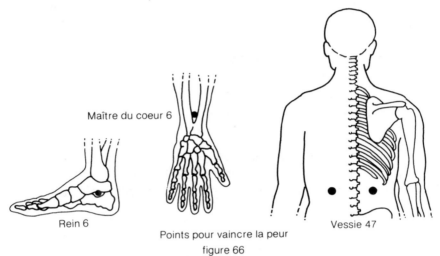

Points pour vaincre la peur
figure 66

Rein 6: On peut masser ce point dans le but d'aider les gens à vaincre leur trac en toutes circonstances. Rein 6 est situé à une largeur de doigt sous la malléole interne.

Vessie 47: Le massage de ce point libère la personne d'une peur réprimée et stimule les sentiments de force, de courage et de détermination. Vessie 47 est situé au croisement de la ligne allant de la dernière côte au sommet de l'os iliaque et de la ligne allant du centre de la colonne vertébrale aux côtés du corps. Ce point est situé au niveau de l'espace entre les deuxième et troisième vertèbres lombaires.

Maître du coeur 6: La tradition associe ce point à la peur. On le masse surtout pour aider ceux qui en sont facilement victimes. Maître du coeur 6 se trouve sur la face interne du bras, à deux largeurs de doigt au-dessus du poignet et entre les deux os de l'avant-bras (radius et cubitus).

Vérification de l'énergie corporelle par la kinésiologie appliquée (toucher thérapeutique):

Lors d'une séance de réflexologie polarisée, nous nous demandons souvent si notre action est adaptée aux problèmes rencontrés. La prise du pouls chinois, la radiesthésie, le dialogue avec le client et le fait de l'observer donnent des renseignements valables, mais les résultats dépendent en grande partie de l'interprétation personnelle du praticien et exigent souvent une période d'apprentissage assez prolongée.

La grille de la page suivante, basée sur l'observation générale du client, vous donnera de précieux renseignements qui vous aideront à orienter votre plan d'action.

La kinésiologie (toucher thérapeutique) est une technique de vérification de l'énergie, technique très précieuse de par sa simplicité et son efficacité. Elle vous permettra de confirmer ou d'infirmer vos premières observations. Cette technique a été mise au point il y a une vingtaine d'années, aux États-Unis, par les chiropraticiens John F. Thie et George Goodheart. Elle consiste essentiellement en des tests musculaires qui permettent d'évaluer d'une façon systématique et immédiate la quantité d'énergie qui circule dans les principaux méridiens du corps.

En effet, chaque muscle du corps se trouve en relation avec un système organique particulier parce qu'ils partagent tous deux un méridien d'acupuncture ou un vaisseau lymphatique. Alors, vous pouvez savoir comment circule l'énergie intérieure grâce aux tests musculaires.

Les réponses obtenues grâce à ces tests sont plus objectives que les interprétations du praticien et sont surtout basées sur ce que le système nerveux autonome du

figure 67

		C		IG		V		R		MC		TR		VB		F		P		GI		E		RP	
		E¹	I²	E	I	E	I	E	I	E	I	E	I	E	I	E	I	E	I	E	I	E	I	E	I
Sommeil	Hypersomnie																								
	Insomnie																								
Signes psychiques	Agitation, excitation																								
	Apathie, asthénie																								
	Excès de décision, agressivité																								
	Irritabilité, colère																								
	Dépression, indifférence																								
	Indécision																								
	Peur, angoisse																								
	Obsession, scrupule																								
	Émotivité																								
	Tristesse, chagrin																								
	Rires sanglots																								
Téguments	Rougeur																								
	Pâleur																								
	Sécheresse																								
	Transpiration																								
	Œdème																								

185

figure 67

186

Douleurs — Phénomènes inflammatoires
Crampes, spasmes, contractures
Céphalées, odontalgies
Précordialgies
Algies ostéo-articulaires

Thermo-Régulation — Chaud
Froid

Cardio-vasculaire — Rythme — Tachycardie
Bradycardie
T.A. — Hypertension
Hypotension

Digestif — Dyspepsie
Constipation spasmodique
Atonie, diarrhée

Pulmonaire — Dyspnée, toux, asthme

Fonction génitale — Excès
Insuffisance

Urines — Polyurie
Oligurie

Columns: C | IG | V | R | MC | TR | VB | F | P | GI | E | RP
(E: Excès / I: Insuffisance)

1: Excès.
2: Insuffisance.

client (la partie non consciente de l'être) sait du fonctionnement de son circuit d'énergie.

Lorsque vous vérifiez l'énergie des méridiens, il est important de procéder selon l'ordre de la roue des méridiens qui illustre le sens de la circulation énergétique dans les méridiens au cours du cycle de vingt-quatre heures.

Roue des méridiens

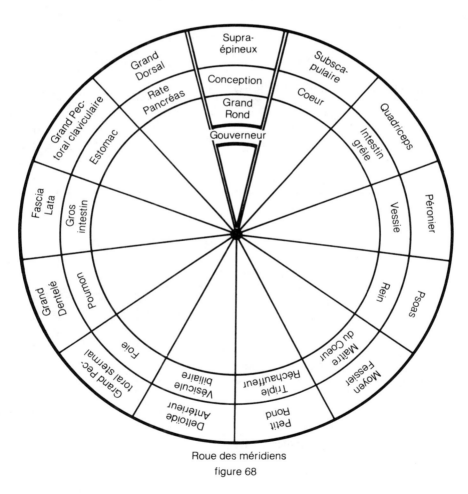

Roue des méridiens
figure 68

Regardez bien les dessins suivants. Ils indiquent mieux que des mots comment faire les vérifications.

Pour vérifier l'énergie de:	il faut tester le muscle	par ce mouvement
Coeur	sous-scapulaire	
Intestin grêle	quadriceps	
Vessie	péronier	
Rein	psoas iliaque	
Circulation — sexe	moyen fessier	
Triple réchauffeur	petit rond	

Vésicule biliaire	deltoïde antérieur	
Foie	grand pectoral sternal	
Poumon	grand dentelé	
Gros intestin	fascia lata	
Estomac	grand pectoral claviculaire	
Rate — pancréas	grand dorsal	
Méridien central	sous-épineux	

Méridien gouverneur	grand rond	

Comment faire un test? Vérifions, à titre d'exemple, le grand pectoral sternal relié au méridien du foie. Demandez à votre client de s'allonger sur le dos, de lever le bras droit à la verticale, paume tournée vers l'extérieur et pouce du côté des pieds. Posez la main droite sur son épaule gauche. Prenez son poignet droit avec votre main gauche et poussez le bras en diagonale vers le haut et l'extérieur du corps (la flèche indique la direction du mouvement), tandis que votre client tente de résister, activant ainsi le muscle grand pectoral sternal.

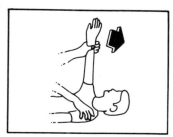

grand pectoral sternal
figure 70

Évaluez le degré de résistance du muscle: il indique si le muscle est très fort, faible ou normal. Ainsi, vous pourrez savoir quelle quantité d'énergie circule dans le méridien du foie et, de là, dans le foie lui-même, car le foie et le grand pectoral sternal reçoivent leur énergie d'une source commune: le méridien du foie.

Vérifiez ensuite la résistance du grand pectoral sternal situé du côté gauche, car l'énergie ne circule pas toujours avec la même force dans les méridiens de droite et de gauche. Dans tous les tests musculaires, il est très important de faire les vérifications en gardant les deux mains en contact avec la personne, afin de travailler en circuit fermé.

Avant d'effectuer chaque test, il vaut mieux faire avec le client un test-témoin, c'est-à-dire un test sans aucune résistance musculaire pour qu'il sache à quoi s'attendre. Après ce test-témoin effectué sans résistance, revenez à la position initiale et vérifiez maintenant la résistance d'un muscle quelconque (elle dure environ trois secondes). Utilisez un minimum de force, *car un test musculaire n'est pas une épreuve de force entre deux personnes*.

En résumé, pour réussir ce test, il convient de:

1. Faire un test-témoin avec le client sans utiliser de résistance musculaire.
2. S'assurer que la personne est prête pour la vérification.
3. Attendre une ou deux secondes afin de laisser à l'énergie le temps de se rendre au muscle vérifié.
4. Évaluer la résistance du muscle, en exerçant une pression moyenne.
5. Exercer la pression pendant seulement quelques secondes, car la résistance d'un muscle isolé cesse après quelques secondes.

Si vous éprouvez des difficultés à effectuer les tests, demandez conseil à un chiropraticien de votre entourage, il pourra probablement vous aider. Si, au départ, vous jugez trop difficile d'apprendre comment faire les quatorze tests, apprenez au moins à vérifier un ou deux muscles afin de pouvoir ainsi connaître l'énergie globale du corps.

La kinésiologie vous permettra de travailler avec beaucoup d'assurance et d'efficacité, puisqu'elle vous donne la possibilité de vérifier immédiatement l'effet de chacune de vos actions.

Grâce à la kinésiologie, vous pouvez vérifier:

1. l'endroit exact où se trouve un point réflexe ou un point d'acupuncture;
2. le choix des points à masser pour vaincre un problème de santé précis;
3. l'ordre à suivre s'il y a plusieurs points à masser;
4. le sens de la rotation lors du massage sur les points réflexes;
5. le choix des merveilleux vaisseaux à équilibrer;
6. le choix des plantes, des vitamines, des minéraux, des huiles essentielles, etc..., etc..., etc..., qui conviennent le mieux.

Si vous voulez obtenir des informations sur la façon de procéder à des vérifications spécialisées, vous pouvez consulter le livre *The Body Says Yes* par Priscilla Kapel, Éditions Astro Computing Services, 1981 ou celui de John F. Thie: *La santé par le toucher*, Éditions des Sciences holistiques, Genève, 1983.

Rééquilibration des méridiens par les boucles de méridiens:

Après avoir procédé à l'évaluation énergétique des méridiens par la kinésiologie, vous pouvez ajouter de l'énergie aux méridiens déficients en bouclant les méridiens. Une fois l'énergie profonde débloquée par le massage des points réflexes, les boucles sont très utiles pour la remettre en circulation dans le réseau superficiel des méridiens; ce qui signifie qu'il faut d'abord masser les points réflexes et ensuite poursuivre en bouclant les méridiens.

On exécute la boucle d'un méridien en en touchant simultanément le début et la fin, pendant deux à trois minutes, afin de faire circuler l'énergie de ce méridien (voir figure 71) en circuit fermé.

Il existe deux types de boucles: les boucles exécutées sur les méridiens des bras et celles exécutées sur les méridiens des jambes. Sur les bras, nous retrouvons les méridiens du coeur, de l'intestin grêle, du maître du coeur, du triple réchauffeur, du poumon et du gros intestin. Sur les jambes, nous retrouvons les méridiens de la vessie, du rein, de la vésicule biliaire, du foie, de l'estomac et de la rate.

Pour recharger les méridiens yin des bras (coeur, maître du coeur, poumon), vous posez le doigt où se termine le méridien sur le point où commence le méridien. Vous pouvez croiser les deux bras lors de l'exécution de la boucle des méridiens yin, mais non pour celle des méridiens yang.

Pour recharger les méridiens yang des bras (intestin grêle, triple réchauffeur, gros intestin), vous posez le doigt où commence le méridien sur le point où finit le méridien.

Par exemple, pour le méridien yin du coeur, vous posez le petit doigt de la main droite dans le creux de l'aisselle gauche et le petit doigt de la main gauche, dans le creux de l'aisselle droite. Pour recharger le méridien yang du triple réchauffeur, vous posez les deux annulaires sur la pointe externe des sourcils.

Pour recharger les méridiens yin des jambes (rein, foie, rate), placez le majeur sur l'orteil ou la région du pied associé au début du méridien et posez l'index sur le point de la fin du méridien. Commencez par faire la boucle sur le côté gauche; utilisez la kinésiologie pour vérifier si la boucle a suffi pour recharger les deux côtés du corps en testant le muscle associé au méridien d'abord à gauche, puis à droite. Au besoin, faites la boucle sur le côté droit.

Pour recharger les méridiens yang de la jambe (vessie, vésicule biliaire, estomac), posez le majeur sur le début du méridien et l'index sur la fin. Faites d'abord la boucle à gauche, puis à droite, si nécessaire.

Par exemple, pour recharger le méridien yin du rein, situé à gauche, vous posez le majeur droit sous le pied à l'endroit où se situe le début du méridien et vous placez l'index gauche à l'angle du sternum et de la clavicule où se trouve le dernier point du méridien. Pour recharger le méridien yang de la vessie situé sur le côté gauche, posez le majeur gauche à l'angle interne de l'oeil gauche et l'index droit sur le côté externe du petit orteil gauche, près de l'ongle.

Respirez bien pendant que vous effectuez la boucle. Vous devez recharger le méridien pendant deux à trois minutes, pas plus, sinon il se produit une surcharge d'énergie et le méridien devient plus faible qu'avant. L'effet d'une boucle de méridiens dure de six à douze heures.

Bouclez les méridiens déficients une ou deux fois par jour, pendant une période allant de quelques jours à quelques mois, selon vos besoins. Ainsi, si votre foie a été perturbé par l'absorption d'alcool, effectuez la boucle du méridien du foie, pendant quelques jours, pour l'aider à se rétablir. Par contre, si un problème chronique affecte votre foie, persévérez et continuez à le boucler pendant quelques semaines, ou même quelques mois.

Les boucles du vaisseaux conception ou Jenn mo et du vaisseau gouverneur ou Tou mo ont une importance toute particulière.

Le vaisseau conception, situé sur la ligne centrale de l'avant du corps, gère l'énergie négative de tous les méridiens yin. La boucle de ce vaisseau facilite grandement la détente, dispose au sommeil, débarrasse du hoquet, détend le diaphragme et apaise tout l'organisme. Pour boucler le vaisseau conception, posez légèrement la main droite sur le bas du ventre et l'index gauche à l'horizontale sur la lèvre inférieure.

Le vaisseau gouverneur, situé sur la ligne centrale du dos, gère l'énergie positive des méridiens yang. La boucle de ce vaisseau éveille, tonifie, stimule tout l'organisme et le rend plus dynamique. Pour boucler ce vaisseaux, posez la main droite sur le coccyx, sans presser, et l'index gauche, à l'horizontale, au-dessus de la lèvre supérieure.

Quelles boucles choisir le matin et le soir? Vous devinez que le matin la boucle du vaisseau gouverneur vous sortira rapidement des brumes du sommeil et rendra vos yeux pétillants de vie. Le soir, la boucle du vaisseau conception calmera votre cerveau, détendra tous vos muscles et vous fera tomber rapidement dans «les bras de Morphée». C'est un puissant somnifère naturel.

Boucles des méridiens

figure 71

Début des méridiens	Fin des méridiens

Poumon (P)

À six largeurs de doigt de la ligne médiane du sternum, entre la 1re et la 2e côte

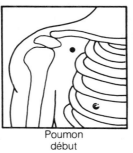

Poumon
début

Du côté intérieur du pouce, près de la base de l'ongle

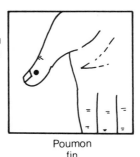

Poumon
fin

Gros Intestin (GI)

Du côté interne de l'index, près de la base de l'ongle

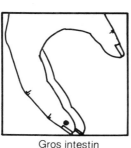

Gros intestin
début

Entre le bord externe de l'aile du nez et le sillon naso-labial

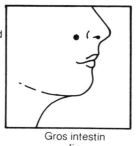

Gros intestin
fin

Estomac
(Es)

Entre le globe oculaire et le milieu du bord inférieur de l'orbite

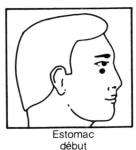

Estomac
début

Du côté externe du 2ᵉ orteil, près de la base de l'ongle

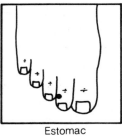

Estomac
fin

Rate — Pancréas

(RP): Du côté interne du gros orteil, près de la base de l'ongle

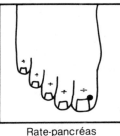

Rate-pancréas
début

Sur la ligne médio-axillaire, dans le 6ᵉ espace inter-costal

Rate-pancréas
fin

Coeur (C)

Au centre du creux de l'aisselle

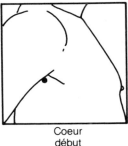

Coeur
début

Du côté interne de l'auriculaire, près de la base de l'ongle

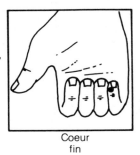

Coeur
fin

Intestin grêle (IG)

Du côté cubital de l'auriculaire près du début de l'ongle

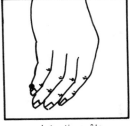

Intestin grêle
début

Entre le milieu du tragus et l'articulation temporo-maxillaire, dans la dépression qui se forme en ouvrant la bouche

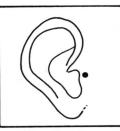

Intestin grêle
fin

Vessie (Ve)

Au-dessus de l'angle interne de l'oeil

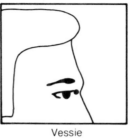

Vessie
début

Du côté externe du petit orteil, près de la base de l'ongle

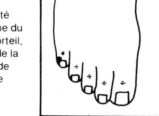

Vessie
fin

Rein (R)

Sur la plante du pied, dans le creux qui se forme quand on fléchit les orteils

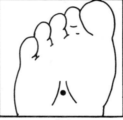

Rein
début

Au-dessus de la clavicule, à deux largeurs de pouce de la ligne médiane

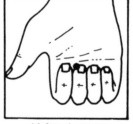

Rein
fin

Maître du coeur (MC)

À une largeur de doigt à côté du mamelon, dans le 4e espace inter-costal

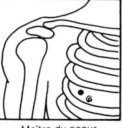

Maître du coeur
début

Du côté interne du majeur, près de la base de l'ongle

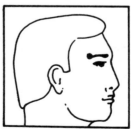

Maître du coeur
fin

Triple réchauf-feur (TR)

Du côté externe de l'annulaire, près de la base de l'ongle

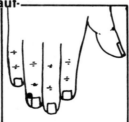

Triple réchauffeur
début

À l'extrémité externe du sourcil

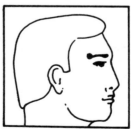

Triple réchauffeur
fin

197

Vésicule bi-liaire (Vb)

À 1/2 largeur de doigt en dehors de l'angle externe de l'oeil

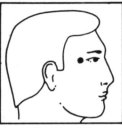

Vésicule biliaire
début

Du côté externe du 4e orteil, près de la base de l'ongle

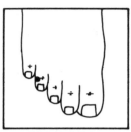

Vésicule biliaire
fin

Foie (F)

Du côté externe du gros orteil, près de la base de l'ongle

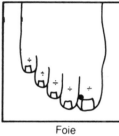

Foie
début

À 4 largeurs de doigt de la ligne médiane, dans le 6e espace inter-costal

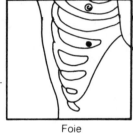

Foie
fin

Vaisseau con-ception (VC)

Entre le scrotum et l'anus

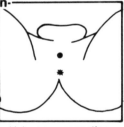

Vaisseau conception
début

Au milieu du sillon mento-labial

Vaisseau conception
fin

Vaisseau gou-verneur (Vg)

Entre la pointe du coccyx et l'anus

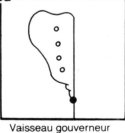

Vaisseau gouverneur
début

Sur la ligne médiane, à la pointe de la gouttière labiale

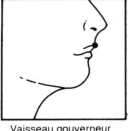

Vaisseau gouverneur
fin

Correction par les boucles de couples de méridiens

Selon la tradition chinoise, les méridiens ayant des fonctions complémentaires forment des couples composés d'un méridien yin et d'un méridien yang. Il existe six couples de méridiens: coeur – intestin grêle, vessie – rein, maître du coeur – triple réchauffeur, vésicule biliaire – foie, poumon – gros intestin, estomac – rate et pancréas.

Les boucles de couples de méridiens ont pour but de recharger l'énergie d'un méridien déficient avec l'excès d'énergie de son partenaire. Par exemple, si le méridien du rein est déficient et celui de la vessie semble trop fort, la boucle vessie-rein permet d'équilibrer ce couple. Une fois de plus, c'est la kinésiologie qui sera votre instrument d'évaluation de l'énergie des méridiens.

Les boucles de couples de méridiens constituent la «trousse d'urgence» du corps énergétique. Faites d'abord les boucles des méridiens déficients et ensuite toutes les boucles de couples afin d'équilibrer tout le réseau d'énergie superficielle.

Si, pour quelque raison que ce soit, vous ne pouvez pas vérifier et analyser quels sont les méridiens les plus touchés, l'exécution des boucles de couples vous permettra toujours d'améliorer la circulation énergétique superficielle. De plus, si votre énergie baisse au cours de la journée, le fait d'exécuter pendant cinq minutes la recharge des méridiens avec les boucles de couples vous redonnera dynamisme et vigueur pour quelques heures (quatre à huit).

Pour exécuter une boucle d'un couple de méridiens, il suffit de toucher le premier point du premier partenaire et le dernier point du deuxième partenaire, en respectant l'ordre de la roue des méridiens. (Voir figure 68).

Premier partenaire

Poumon ----------------------------------
Pouce droit entre la 1 re et la 2 e côte, près de l'épaule droite

Estomac ----------------------------------
Majeur gauche sur le milieu de l'orbite inférieure de l'oeil gauche

Coeur -------------------------------------
Petit doigt droit sous l'aisselle droite

Vessie -------------------------------------
Majeur gauche à l'angle interne* de l'oeil gauche

Maître du coeur -----------------------
Majeur droit à côté du sein droit

Vésicule biliaire ----------------------
Majeur gauche à l'angle externe de l'oeil gauche

Deuxième partenaire

Gros intestin
Index gauche à côté de l'aile gauche du nez

Rate — pancréas
Pouce droit sur le côté droit à 3 cm du sein

Intestin grêle
Petit doigt gauche dans le creux de la mâchoire gauche

Rein
Index droit à l'angle de la clavicule droite et du sternum

Triple réchauffeur
Annulaire gauche sur la pointe externe** du sourcil gauche

Foie
Index droit sous la région externe du sein droit

Consultez les schémas illustrant les boucles de méridiens si vous voulez savoir l'endroit exact où se trouve chacun des points des méridiens.

---

* Interne: qualifie ici un point situé près de la ligne médiane du corps.
** Externe: qualifie un point situé près des côtés du corps.

Chapitre IV

POLARITÉ DES GESTES DE LA VIE QUOTIDIENNE

Après avoir étudié les notions fondamentales de la polarité, de l'énergie profonde des points réflexes et des merveilleux vaisseaux, ainsi que de l'énergie superficielle des méridiens, découvrons ensemble la magie qui se cache dans chacun de nos gestes quotidiens.

Si vous respectez les principes inhérents aux mouvements tels que se lever, marcher, courir, monter un escalier, manger, se coucher, etc..., vous équilibrerez en grande partie votre énergie vitale et certains de vos problèmes de santé disparaîtront d'eux-mêmes.

Ce chapitre vise à vous permettre d'effectuer vos gestes avec un maximum d'efficacité et un minimum d'efforts. La compréhension des lois régissant la respiration semble indispensable pour bien exécuter ces gestes quotidiens.

Respiration en vagues:

Le mouvement ondulatoire de la vague est intimement associé au mouvement de la vie primitive. L'amibe, le poisson, le reptile reproduisent cette vague que l'on retrouve au coeur de toute vie. Le spermatozoïde de l'homme transmet la vie en se déplaçant par des mouvements ondulatoires. Tous les rythmes primitifs de l'être humain obéissent à cette loi de la nature.

La respiration en vagues sert d'intermédiaire entre le conscient et l'inconscient. Elle véhicule l'énergie entre le pôle de la conscience, situé dans la tête, et le pôle de la force vitale, pôle plus ou moins inconscient, situé dans le ventre.

La respiration en vagues permet la régulation de la chaleur interne, grâce aux combustions organiques rendues possibles par l'oxygénation. De plus, pendant la respiration, les mouvements du diaphragme et des muscles abdominaux assurent le massage constant, profond et doux des organes abdominaux. Un mécanisme respiratoire déficient est à l'origine de beaucoup d'estomacs «capricieux» et d'intestins «paresseux».

Comment respire-t-on? La tradition chinoise nous enseigne que: «Est sage celui qui respire à partir des talons!» Ainsi, la respiration complète ne se limite pas à l'échange gazeux qui s'effectue au niveau des poumons, mais elle s'étend à tout le système ostéo-musculaire, depuis les pieds jusqu'à la tête. Étonnant, n'est-ce-pas?

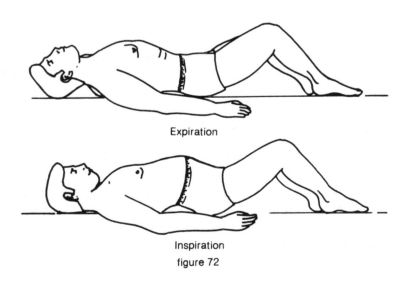

Expiration

Inspiration

figure 72

À l'inspiration:	À l'expiration:
— Pieds en flexion vers soi	— Pieds en extension
— Genoux très peu fléchis	— Genoux fléchis
— Bassin bascule vers l'arrière	— Bassin bascule vers l'avant
— Abdomen se gonfle	— Abdomen se contracte
— Diaphragme se contracte et descend	— Diaphragme se détend et remonte
— Plexus solaire s'ouvre et rayonne	— Plexus solaire se ferme
— Thorax se gonfle	— Thorax se vide
— Clavicules s'élèvent	— Clavicules s'abaissent
— Mains en supination (Paumes vers le ciel)	— Mains en pronation (Paumes vers le sol)
— Tête dirigée vers le bas	— Tête dirigée vers le haut et l'arrière
— Mâchoires se ferment et se contractent	— Mâchoires s'ouvrent et se détendent
— Gorge s'ouvre	— Gorge se referme
— Yeux dirigés vers le bas	— Yeux dirigés vers le haut

Je vous engage à inspirer et à expirer en concentrant votre attention successivement sur chaque partie de votre corps, l'une après l'autre, en commençant par les pieds et en terminant par les yeux. Je parie que, plus d'une fois, vous serez surpris.

Dans la respiration en vagues, l'énergie superficielle monte des pieds à la tête à l'inspiration et descend de la tête aux pieds à l'expiration. Vous pouvez faire cette respiration debout, assis ou couché.

À l'inspiration, l'énergie monte d'abord par les pieds que l'on fléchit vers soi, passe par le bassin qui bascule vers l'arrière, traverse l'abdomen et le thorax qui se gonflent, franchit le diaphragme qui se contracte et descend, et atteint la tête qui s'incline vers l'avant.

À l'expiration, l'énergie descend d'abord par la tête que vous dirigez vers le haut, passe par le thorax qui se vide, le diaphragme qui se décontracte, l'abdomen qui se contracte, le bassin qui bascule vers l'avant et enfin par vos pieds qui s'étirent. Ce schéma respiratoire donne le maximum d'effets positifs pour un minimum d'efforts.

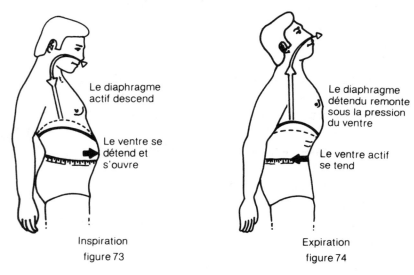

Le diaphragme actif descend

Le ventre se détend et s'ouvre

Le diaphragme détendu remonte sous la pression du ventre

Le ventre actif se tend

Inspiration
figure 73

Expiration
figure 74

Pour mieux comprendre le mécanisme de la respiration en vagues, il est nécessaire d'étudier la relation entre le diaphragme et les muscles abdominaux.

Au moment de l'inspiration, le diaphragme actif se contracte de façon à diminuer sa surface et le sommet de sa coupole descend. L'abaissement du diaphragme permet une augmentation du volume d'air dans la cage thoracique et provoque un gonflement de l'abdomen. Ce gonflement est *normal et il est essentiel* pour assurer une respiration complète et profonde.

À l'expiration, le diaphragme passif se relâche et remonte vers le haut sous l'action des muscles abdominaux qui se contractent. Il se produit donc une diminution du volume d'air dans le thorax puisque le diaphragme est détendu.

L'expérience démontre que la contraction permanente de l'abdomen est reliée au refoulement des pulsions sexuelles et des sensations de tristesse. Vibrer de vie est un état qui prend sa source dans le ventre et donne à l'être une sensation de plénitude à condition que l'abdomen soit souple.

Le basculement du bassin amène l'alternance de la contraction et de la détente des muscles abdominaux. À l'inspiration, le bassin bascule vers l'arrière, ce qui favorise l'accumulation des sensations sexuelles, c'est-à-dire des sensations de vie dans le ventre et dans le corps. À l'expiration, le bassin bascule vers l'avant, ce qui facilite la décharge des sensations sexuelles par les organes génitaux.

Quelquefois, le bassin est immobilisé presque en permanence en position de basculement vers l'arrière. Dans ce cas, l'énergie sexuelle s'accumule sans pouvoir être déchargée et le moindre contact physique prend des connotations sexuelles.

D'autres fois, le bassin est immobilisé dans une position de basculement vers l'avant. L'énergie sexuelle ne peut alors s'accumuler à cause de la contraction de l'abdomen. Cette situation pousse les gens à rechercher constamment les excitations extérieures et les aventures sexuelles pour suppléer à leur manque de sensations internes.

Attention! Mâchoires et bassin sont associés. Les points réflexes de la mâchoire inférieure trouvent leur correspondance dans les points réflexes de l'os du pubis. Lorsque vous constatez que les mâchoires sont contractées, vous pouvez en déduire que le bassin l'est aussi.

Le massage et le relâchement des mâchoires sont des moyens simples et très efficaces pour libérer les énergies vitales emprisonnées dans le bassin. Pour vérifier le bien-fondé de l'association mâchoires-bassin, vous pouvez décrire des cercles avec vos hanches d'abord en tenant les mâchoires serrées, puis en les détendant.

En résumé: à l'inspiration, il y a tension du diaphragme et détente des muscles abdominaux. À l'expiration, il y a tension des muscles abdominaux qui repoussent le diaphragme détendu vers le haut.

L'alternance rythmée entre l'inspiration et l'expiration est le mécanisme fondamental de la respiration. Le centre de la coordination musculaire du mouvement respiratoire n'est pas dans la poitrine où se trouvent les poumons mais bien au milieu du ventre, dans le hara.

Chaque phase de la respiration a des effets bien définis.

À *l'inspiration*, le mouvement ascendant de l'énergie superficielle rend la conscience plus claire, facilite la compréhension des textes lus et des discours entendus et accentue toutes les perceptions sensorielles. De plus, le mouvement descendant de l'énergie profonde se termine aux pieds, ce qui nous enracine au sol.

Ce contact étroit entre les pieds et le sol nous permet de nous situer dans l'espace. Le fait de se situer dans l'espace extérieur (où l'on est) facilite la prise de conscience de son espace intérieur (qui l'on est). Avoir les deux pieds sur terre conduit à l'identification avec son corps et à la conscience de sa sexualité. L'enracinement est à la base de notre sentiment de stabilité et de sécurité intérieure.

Pour bien s'enraciner et bien s'ancrer au sol, il est important de prêter une attention spéciale aux deux régions suivantes du corps:

— 1. les genoux (amortisseurs des tensions physiques et psychologiques) qui doivent être toujours légèrement fléchis;

— 2. le ventre qui doit être détendu.

Notez que si les genoux sont raides, c'est la région lombaire qui portera le poids des tensions psychologiques.

À l'expiration, le mouvement descendant de l'énergie superficielle donne de la mobilité au bas du corps et facilite les mouvements tels que la marche, le saut, la danse, etc. Quant au mouvement ascendant de l'énergie profonde, il charge la région de la tête, ce qui stimule la mémoire. De plus, l'expiration détend le corps et diminue l'intensité de toutes les perceptions sensorielles y compris la douleur.

Mouvements symétriques:

Les mouvements symétriques sont des mouvements exécutés simultanément par les deux côtés du corps. Lorsque vous faites des mouvements avec les bras et les jambes, ceux de gauche doivent être identiques, exécutés simultanément et dirigés dans la même direction que ceux faits à droite. S'asseoir, se lever, sauter à pieds joints, lever des poids ou haltères, exécuter des redressements assis et des «push up» constituent des exemples de mouvements symétriques.

Il est bon de noter que les mouvements symétriques sont des mouvements de transition entre la détente et l'action (ex: se lever, faire des redressements assis) ou des mouvements de transition entre l'action et la détente (ex: se coucher, s'asseoir).

Les mouvements symétriques sont des mouvements de polarité neutre, car les côtés gauche et droit du corps y sont également actifs. Exécutez-les durant la phase neutre de la respiration, c'est-à-dire lors de la rétention à poumons pleins ou à poumons vides. Si la rétention est la règle d'or pour bien réaliser les mouvements symétriques, quand inspire-t-on et quand expire-t-on?

— On doit inspirer avant de faire le mouvement symétrique.
— On doit retenir sa respiration pendant l'exécution du mouvement symétrique.
— On doit expirer après l'exécution de ce mouvement.

En d'autres mots, l'inspiration et l'expiration se font respectivement au début et à la fin du mouvement. Par exemple, avant de vous asseoir, prenez une bonne inspiration, retenez votre respiration pendant que vous vous assoyez et vous expirez une fois assis. Procédez de la même façon quand vous vous levez: inspirez profondément avant de vous lever, retenez votre inspiration pendant que vous vous levez puis expirez une fois debout.

Si vous avez des doutes sur l'importance de respecter le schéma respiratoire s'appliquant aux mouvements symétriques, vous en serez convaincu lorsque vous exécuterez des mouvements répétitifs tels que des redressements assis. Comme ils sont constitués d'une chaîne ininterrompue de mouvements:

— vous inspirez lorsque vous êtes étendu au sol;
— vous retenez votre inspiration en vous redressant;
— vous expirez à la toute fin de votre redressement;
— vous retenez votre expiration en vous étendant;
— vous recommencez cette série de mouvements et vous serez très étonné de la facilité avec laquelle vous les effectuez.

Lorsque vous ferez partie de groupes de conditionnement physique, de ballet jazz ou de danse aérobique, vous bénirez souvent le ciel de connaître les lois de la respiration associées aux mouvements symétriques.

Si vous ne respectez pas ces lois lorsque vous effectuez un mouvement symétrique, l'énergie globale de votre corps en sera fortement déséquilibrée pendant environ une minute. Imaginez une suite de mouvements symétriques exécutés sans tenir compte des lois de la

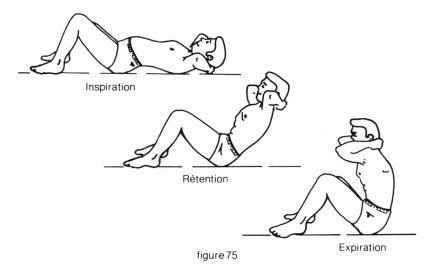

Inspiration

Rétention

figure 75

Expiration

respiration! Il vous faudra des heures, et quelquefois même des jours, pour retrouver votre équilibre énergétique.

Orientation de nos gestes dans l'espace:

Dans le champ spatial, nous pouvons orienter nos mouvements selon l'axe gauche-droite, avant-arrière, haut-bas, intérieur-extérieur. Dans tous ces mouvements, il existe une prédominance soit de l'énergie positive (action-émission), soit de l'énergie négative (détente-réception).

Lorsque le mouvement a pour but d'émettre l'énergie vers l'extérieur, surtout grâce à des actions telles que marcher, courir, monter un escalier, etc., on commence le mouvement à l'expiration, en utilisant le côté droit du corps.

Lorsque le mouvement a pour but de faire entrer de l'énergie (exemples: être embrassé, manger) ou encore de freiner une action (exemple: descendre un escalier) on le commence en inspirant et en se servant d'abord du côté gauche du corps.

Analysons chacun des axes du champ spatial où nous exécutons nos mouvements.

Axe gauche — droite:

D'après les principes millénaires de la polarité, l'énergie véhiculée par les méridiens est, pour toutes les personnes, émise par le côté droit du corps et est reçue par le côté gauche. Cela signifie que généralement nous faisons des gestes actifs, comme lancer une balle, avec la main droite et des gestes passifs, comme attraper une balle, avec la main gauche.

Que se passe-t-il dans le cas des gauchers? De zéro à sept ans, des liens neurologiques se créent entre les hémisphères gauche et droit du cerveau et rendent prédominant l'un des deux hémisphères.

Si l'hémisphère gauche est dominant, la personne est droitière; ses mouvements se font donc avec le côté droit. Tout semble parfait, mais attention! Le droitier a tendance à négliger de prendre un temps de détente (temps de réception d'énergie) propre à tout geste bien fait. Par exemple, lors d'un massage, le droitier exerce une pression, à l'expiration, mais oublie souvent de la relâcher, à l'inspiration. Cette pression constante fatigue les doigts.

Par contre, si l'hémisphère droit est dominant, la personne est gauchère; l'émission d'énergie se fait à gauche, ce qui provoque un déséquilibre énergétique. Cependant, si cette personne fait son geste à l'expiration, la perte d'énergie est moins grande. L'expiration permet de compenser pour les mauvais effets causés par un geste fait de façon inappropriée. Si le gaucher prend conscience des points d'appui offerts par son côté gauche et qui pourraient l'aider à effectuer des mouvements avec son côté droit, il pourra agir de la droite *sans effort*. Quant à la réception d'énergie, elle est le point fort des gauchers et ne pose généralement aucun problème.

Par exemple, un gaucher peut facilement manger avec sa main droite, à condition qu'il prenne conscience qu'il peut se servir de sa main gauche comme point d'appui. Pour ce faire, il lui faut placer sa main gauche près de l'assiette afin d'en sentir le poids. Plus la main gauche est éloignée de l'assiette, plus l'appui est faible et plus la main droite effectue l'action avec maladresse et effort.

Je peux moi-même témoigner combien il est important de prendre conscience des points d'appui que peut fournir le côté gauche lorsque la droite agit. Comme mon hémisphère droit est dominant, je suis gauchère et j'ai mangé avec la main gauche pendant trente-neuf ans. J'ai tenté plusieurs fois, mais sans succès, de manger avec la main droite pour arriver à exécuter des gestes de meilleure qualité. Cependant, il y a un an, au cours d'un repas, j'ai pris conscience du soutien que ma main gauche offrait à ma main droite et le tour était joué.

Depuis ce temps, je mange avec la main droite *sans effort*. J'ai observé qu'il m'arrivait exceptionnellement, surtout lorsque j'étais tendue, d'utiliser ma main gauche, mais dès que je reprends conscience des points d'appui offerts par ma main gauche, je mange à nouveau avec la main droite *sans effort*.

Si on éprouve des difficultés à agir avec son côté droit, c'est qu'on utilise mal ses points d'appui. Il vaut mieux alors continuer d'utiliser le côté gauche en respirant de façon appropriée plutôt que d'utiliser le côté droit avec difficulté.

La perte d'énergie, résultant d'une action exécutée péniblement avec le côté droit, est plus grande que celle résultant d'une action effectuée par le côté gauche tout en respirant de façon appropriée.

En résumé, pour que vos gestes soient les plus efficaces possibles, il convient d'émettre l'énergie à droite en s'appuyant sur l'énergie profonde de la gauche et de recevoir l'énergie à gauche afin de permettre à la droite de se détendre et de refaire son plein d'énergie.

Axe avant — arrière:

L'énergie de l'avant du corps est de polarité négative et celle de l'arrière est de polarité positive. À l'avant, l'énergie des méridiens est ascendante et à l'arrière, elle est descendante. Suivez ce mouvement énergétique en pensant que, à l'inspiration, l'énergie monte vers la tête, en passant à l'avant du corps et que, à l'expiration, elle descend le long du dos.

Attention à votre respiration: il vous arrive souvent d'en inverser inconsciemment les phases. Vous pouvez en vérifier la qualité par la kinésiologie et, très souvent, vous aurez des surprises.

Lorsque vous exécutez un mouvement vers l'avant, comme par exemple lorsque vous lancez une balle, utilisez votre côté droit tout en expirant. Bien que les mouvements faits vers l'arrière soient moins nombreux que ceux faits vers l'avant, il est utile de savoir qu'il faut les commencer en utilisant le côté gauche à l'expiration, comme par exemple, lorsque l'on recule en marchant ou en dansant.

Axe bas — haut (axe des mouvements reliant l'énergie entre le tronc et les extrémités):

L'une des lois les plus importantes concernant les mouvements est celle qui régit la circulation d'énergie entre le tronc et les extrémités.

À l'expiration, l'énergie superficielle quitte le tronc pour se diriger vers les extrémités (pieds, mains, tête) et, à l'inspiration, cette énergie superficielle revient au centre. Par exemple, si vous soulevez un objet, expirez en étendant les bras vers l'objet et inspirez en le ramenant vers vous. Si vous prenez conscience de cette dimension spatiale de l'axe bas-haut, vous goûterez beaucoup d'harmonie, de paix intérieure et de douce quiétude.

Axe intérieur — extérieur:

Cet axe nous permet de communiquer avec le niveau d'énergie le plus profond et le plus puissant du corps. Ce niveau d'énergie est influencé surtout par la méditation, les émotions, la sexualité et le sommeil dont j'ai parlé dans le chapitre sur les merveilleux vaisseaux.

Les gestes s'effectuant sur la ligne médiane du corps tels que manger, boire, rire, etc... se réalisent dans cet axe.

Description des gestes de la vie quotidienne

Mouvements d'émission avec le côté droit:

Les mouvements tels que marcher, courir, monter un escalier, pratiquer les sports (raquette, ski, natation, patinage, bicyclette, tennis, etc.), mobilisent surtout l'énergie d'accélération du corps reliée au côté droit.

Si nous respectons les lois énergétiques régissant ces mouvements, nous pouvons économiser une quantité étonnante d'énergie.

Voici la règle d'or pour exécuter facilement ces mouvements:

1 — inspirez avant le mouvement;

2 — expirez en commençant le mouvement avec le côté droit;

3 — inspirez en continuant le mouvement avec le côté gauche, et ensuite alternez entre le côté droit et le côté gauche, selon un rythme approprié à l'exercice.

Prenons l'exemple de la marche:

Préparation   Début   Déroulement

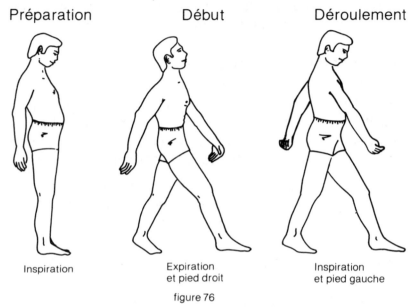

Inspiration   Expiration   Inspiration
et pied droit   et pied gauche

figure 76

Notez que lancer ou frapper une balle, lorsque l'on pratique des sports tels que le tennis, le ping-pong, le baseball, le soccer, le football, etc., se fait avec le côté droit, à l'expiration, et sans alternance entre les côtés droit et gauche.

Par ailleurs, pour conduire une automobile, on utilise le pied droit. Vous ferez des voyages beaucoup moins fatigants si vous ajustez le siège de votre automobile de façon à poser le pied droit en position neutre sur l'accélérateur, c'est-à-dire de façon à ce qu'il ait un angle de 90° avec votre jambe.

Bien sûr, votre pied sera en extension quand vous accélérerez et en flexion quand vous freinerez, mais, lorsque vous maintiendrez une vitesse à peu près constante, votre pied restera au neutre. Cette façon de poser le pied en position neutre vous permet de prendre appui dans l'articulation de la hanche, ce qui rend votre pression sur l'accélérateur plus facile et moins fatigante.

De plus, vous deviendrez plus alerte et plus vigilant, car si votre pied est trop longtemps en extension, vous aurez tendance à vous endormir. On expire lorsque le pied est en extension, ce qui provoque un relâchement musculaire et une certaine somnolence. Alors, ajustez bien votre position et «bon voyage»!

Si vous vous inquiétez parce que vous devez accorder beaucoup d'attention et faire des efforts pour arriver à bien accomplir vos gestes quotidiens, calmez-vous en vous disant qu'il suffit de bien commencer le mouvement pour que tout le processus s'enchaîne facilement.

Bien que la fin des mouvements soit importante, je la passe volontairement sous silence, car elle échappe, la plupart du temps, à la conscience. Mentionnons seulement que la fin du mouvement est souvent contraire à son début.

«Les débuts et les fins sont des clés d'or!» Ils constituent des moments privilégiés où l'énergie en potentiel attend que la pensée consciente lui donne ses directives pour s'actualiser.

Les débuts bien réussis donnent le ton à tout le déroulement des événements. Tous les débuts sont révélateurs de ce qui va suivre, que se soit le début d'une vie, d'une année, d'une journée, d'un mariage, d'une rencontre, d'une pièce de théâtre, etc.

Les fins bien réussies déterminent la qualité des souvenirs attachés aux situations qu'on a vécues. Tout ce qui reste en suspens (tâches non terminées, conflits émotifs non résolus, décisions reportées, etc.) fait tourner en rond une certaine quantité d'énergie. Résoudre ses problèmes ou parachever ses travaux libère de l'énergie reliée à ces situations et la rend disponible pour de nouvelles réalisations.

Les émotions et les sensations vécues à la fin des événements se gravent pour longtemps dans la mémoire. Souvenez-vous-en lors de la rupture d'un mariage, d'une relation amicale ou amoureuse. La nature des émotions et des sensations survenant à la fin d'un événement conditionne notre désir de recommencer ou non l'expérience.

Mouvements faits avec l'énergie d'émission du côté gauche:

Pour bien exécuter les mouvements effectués vers l'arrière, tels que marcher, danser et sauter à reculons, il faut:

1 — inspirer avant le mouvement;

2 — expirer en commençant le mouvement avec le pied gauche;

3 — inspirer en continuant le mouvement avec le pied droit, ensuite alterner entre le pied gauche et le pied droit selon un rythme approprié à l'exercice.

Ces mouvements utilisent l'énergie positive de la phase expiratoire et l'énergie négative du côté gauche du corps parce qu'ils sont exécutés vers l'arrière.

Mouvements fait avec l'énergie de freinage du côté gauche:

Lorsqu'il s'agit de descendre un escalier ou d'attraper une balle, il convient d'utiliser l'énergie de freinage procurée par le côté gauche et l'inspiration. Voici la marche à suivre:

1 — expirez avant le mouvement;

2 — inspirez en commençant avec le côté gauche;

3 — expirez en continuant le mouvement avec le côté droit, ensuite alternez entre le côté gauche et le côté droit lorsque vous descendez un escalier. Pas besoin d'alternance pour attraper une balle.

Mouvements effectués dans l'axe bas — haut (axe reliant le tronc et les extrémités):

Lorsque vous effectuez un mouvement, expirez quand vos pieds et vos mains s'éloignent de votre corps et inspirez quand ils s'en rapprochent. Par exemple, si vous levez une jambe, elle se rapproche de votre tronc, vous inspirez; si vous l'abaissez au sol, elle s'éloigne de votre tronc, vous expirez.

Cette règle énergétique est très importante et contrôle en grande partie la qualité de vos gestes. Accordez-y une attention spéciale.

Lorsque vous lavez un plancher, une fenêtre, un mur ou un plafond, vous remercierez le ciel de connaître ces lois qui vous permettront d'économiser beaucoup d'énergie et de ne pas vous épuiser inutilement.

Pour effectuer vos travaux de nettoyage, vous posez vos deux mains sur la surface à nettoyer (la main droite tenant le chiffon) afin que le circuit d'énergie soit relativement fermé. Voici la façon de faire qui semble la plus efficace:

1 — inspirez profondément afin de bien vous préparer à faire vos travaux;

2 — expirez en frottant vers l'avant avec votre main droite (pour le plancher et le plafond) et vers le haut (pour les murs et fenêtres). Vous exercez une pression maximale sur la surface à nettoyer, tout en expirant;

3 — exercez une légère pression en ramenant la main droite vers vous, tout en inspirant. Attention! ceux qui se fatiguent vite oublient souvent d'exercer une pression plus légère au moment de l'inspiration. Ils veulent nettoyer au plus vite et négligent de prendre un temps de repos qui leur permettrait de travailler sans fatigue.

Vous pouvez utiliser votre main gauche en alternance avec votre main droite pour faire votre nettoyage, à condition cependant de vous rappeler que vous devez expirer en éloignant votre bras gauche et inspirer en le ramenant vers vous.

Pour balayer ou pour passer l'aspirateur, tenez le balai ou le boyau de l'aspirateur en plaçant la main droite au-dessus de la main gauche. C'est très important, car il faut se rappeler que la main gauche appuie et soutient l'action, tandis que la main droite dirige et guide cette action. Voici comment vous devez travailler avec un balai:
1 — expirez avant de commencer;
2 — inspirez en ramenant le balai vers vous;
3 — expirez en l'éloignant de vous.

Quand vous utilisez l'aspirateur, vous poussez sur le boyau, vous devez donc inspirer avant de commencer à le passer et expirer en poussant sur le boyau.

Quand vous devez soulever un objet lourd tel qu'une poubelle ou une boîte, votre dos vous bénira si, tout en expirant, vous vous penchez et vous le prenez en plaçant la main gauche en-dessous et la main droite plus haute sur l'objet. Soulevez-le en inspirant et placez-le sur votre hanche droite ou votre épaule droite.

Le sac à dos est le moyen idéal pour transporter des bagages sur une longue distance puisque le dos est la partie du corps la plus puissante.

S'habiller et se déshabiller sont des gestes qui mettent en application les lois associées aux mouvements centre-extrémités. Lorsque vous enfilez un chandail, vous commencez par la manche droite. Inspirez en pliant le bras et expirez en enfilant la manche du chandail. Procédez de la même façon avec le côté gauche.

Quand vous vous déshabillez, vous commencez par le côté gauche. Veillez à inspirer lorsque vous amenez vos mains vers vous et à expirer lorsque vous les éloignez de vous.

Mouvements effectués dans l'axe intérieur — extérieur:

Les mouvements exécutés dans l'axe intérieur-extérieur mobilisent une très grande quantité d'énergie intérieure mais ils ont une faible amplitude à l'extérieur. C'est pourquoi la polarité associée à chacun de ces mouvements passe souvent inaperçue et reste inconsciente.

Nous effectuons la plupart de ces mouvements très rapidement à l'aide des organes sensoriels de la tête parce que celle-ci est la région du corps la plus chargée en énergie positive. Pour vous aider à mieux comprendre le mécanisme de ces petits mouvements si importants, étudions-les séparément.

Manger:

Cette action se déroule en quatre phases et vous vous harmoniserez de façon étonnante en les respectant.

— Amenez *la nourriture à la gauche de votre bouche* en inspirant. Comme la gauche est le côté réceptif, cela permet au cerveau d'analyser la nature des aliments et d'ordonner la production des sucs digestifs appropriés. De plus, vous mangerez plus lentement et souvent en moindre quantité si vous commencez à mastiquer à gauche. Très intéressant pour combattre l'obésité.

— Prenez le temps de savourer vos aliments, ce qui déclenche la salivation pendant que vous retenez brièvement votre respiration. Hum! hum! hum!

— Mastiquez en alternant entre la droite de la bouche, à l'expiration et la gauche, à l'inspiration. La mastication déclenche le péristaltisme intestinal parce que le méridien du gros intestin se termine près du nez. Gens constipés, mastiquez!

— Avalez en retenant brièvement votre respiration.

Bonne digestion!

Boire:

Il faut d'abord prendre une gorgée en inspirant et la garder dans la bouche quelques secondes pour que la salivation se produise et ensuite l'avaler après avoir retenu sa respiration.

Il faut mastiquer nos liquides et boire nos solides, si l'on veut retirer le plus de bénéfices possibles des aliments et boissons que nous ingérons. Il est très important de prendre le temps de saliver nos liquides et de mastiquer suffisamment nos solides pour que la salive puisse les transformer en liquide.

Rire et pleurer:

Le rire s'associe à l'énergie positive. Vous ne pourrez rire du plus profond de vous-même que si votre corps est placé en position d'expiration, c'est-à-dire que la tête doit être levée vers le haut et le bassin basculé vers l'avant. Ceci vous permet d'émettre au maximum les énergies du rire.

Lorsque vous êtes pris d'un fou rire qui semble incontrôlable, le fait de prendre une inspiration profonde y mettra fin d'un coup sec.

Les pleurs sont reliés à l'énergie négative. Pour laisser libre cours à vos larmes et vous permettre de liquider complètement votre tristesse, placez votre corps en position d'inspiration: basculez le bassin vers l'arrière et inclinez la tête vers le bas.

Des sensations et des sentiments refoulés rendent la respiration difficile. Pour vaincre une dépression persistante, il est très important de pouvoir à nouveau respirer profondément en relançant le mouvement respiratoire en vagues.

L'alternance rythmée entre l'inspiration et l'expiration est un gage de santé émotionnelle.

Parler, crier, chanter:

Parler, crier et chanter s'associent évidemment à l'énergie positive d'émission. Il faut donc placer le corps en position d'expiration.

Les professeurs, les conférenciers et les chanteurs auront grand avantage à placer leur corps dans cette position. Leur bassin étant basculé vers l'avant, ils pourront y prendre appui tout le temps qu'ils parleront ou qu'ils chanteront.

Heureusement, l'orateur et le chanteur font, au moment où ils inspirent, des pauses qui leur permettent de recharger leurs énergies. Leur bassin bascule alors vers l'arrière. Encore une fois, l'important, c'est l'alternance rythmée entre les deux phases de la respiration.

Les personnes qui souffrent d'hypertension artérielle ont tendance à parler très rapidement et manifestent une grande nervosité. Si vous ralentissez votre débit verbal, la tension artérielle baisse. Qu'on se le tienne pour dit!

Embrasser, donner l'accolade:

Embrasser ou donner l'accolade constituent des moyens très agréables d'échanger les bonnes énergies venant du coeur. Afin d'en améliorer la réception, il convient d'embrasser sur la joue gauche ou, à l'exemple de certains peuples européens, d'embrasser d'abord sur la joue gauche, ensuite sur la joue droite et enfin sur la joue gauche. Trois fois plutôt qu'une, vous y gagnerez en plaisir! Commencez l'accolade également par la gauche.

Tousser, se moucher, bâiller:

Tousser et se moucher constituent, de toute évidence, des gestes par lesquels on émet de l'énergie vers l'extérieur.

Le massage du bord osseux de la partie supérieure du sternum, lors de l'expiration, constitue un excellent moyen de calmer une quinte de toux et une irritation de la gorge. Veillez à ne pas enfoncer vos doigts dans la gorge, mais bien à masser le bord osseux du sternum.

Ceux qui ont des problèmes de nez, de sinus ou d'oreilles ont tout avantage à bien se moucher pour dégager leurs voies respiratoires. Il convient d'expirer par la narine droite d'abord, en bloquant la narine gauche, et d'expirer ensuite par la narine gauche en bloquant la narine droite.

Bâiller réveille l'énergie négative du corps et la mobilise. Il faut d'abord inspirer en partant de l'abdomen et ensuite expirer, ce qui détend tout le corps. En prenant conscience que vous devez inspirer et expirer en bâillant, vous pouvez bâiller plus profondément et en retirer une plus grande détente. Votre énergie vitale circulera plus librement dans votre corps.

Écouter:

À première vue, écouter semble être seulement un geste passif. Cependant, s'il comporte d'abord une phase réceptive durant laquelle vous captez les informations, à l'inspiration, il comporte aussi une phase active où vous mémorisez ces informations, à l'expiration.

Si vous voulez comprendre plus facilement le discours d'un orateur, ou le cours d'un professeur, rappelez-vous d'inspirer leurs paroles et d'expirer lors de leurs pauses... nombreuses, je l'espère pour vous!

L'oreille droite est l'oreille de la raison analytique parce qu'elle est associée à l'hémisphère gauche du cerveau; celui-ci est le centre du langage, de l'analyse et de la logique.

L'oreille gauche est l'oreille de l'intuition et de l'émotion parce qu'elle est reliée à l'hémisphère droit du cerveau; celui-ci est le centre du symbolisme et de l'intuition.

La différence dans la qualité de la perception de chaque oreille devient évidente lorsque vous utilisez le téléphone.

Si votre amoureux vous dit des petits mots doux au téléphone, écoutez-le avec votre oreille gauche. Si, au contraire, le contenu émotif d'une conversation téléphonique vous déplait, faites appel à votre raison et passez le récepteur à l'oreille droite. C'est une très bonne tactique qui vous rendra souvent service.

Si vous recevez des compliments, dépêchez-vous de passer le récepteur à gauche afin de mieux goûter la douceur de ces mots. Au contraire, si la teneur des propos est scientifique, utilisez votre oreille droite qui enregistre plus vite les informations.

Lire, écrire, regarder au loin:

Lire comporte deux phases. En parcourant le texte, il faut d'abord inspirer pour le comprendre et ensuite expirez, quand vous faites des pauses, pour le mémoriser.

Comme pour toutes les autres actions, c'est la façon de la débuter qui en déterminera le déroulement. Rappelez-vous donc que vous devez bien inspirer quand vous commencez à lire, ce qui vous aidera à mieux comprendre le texte. Une fois la lecture bien entreprise, consacrez vos énergies à bien comprendre et à mémoriser le texte et votre respiration s'ajustera d'elle-même. Bonne lecture!

Écrire est un geste actif qui met l'accent sur la phase expiratoire. Cependant, il comporte aussi une phase réceptive: lorsque vous inspirez, il est important de relâcher la pression exercée sur le crayon afin d'éviter à vos doigts des tensions inutiles. Écrire deviendra plus facile et plus agréable.

J'ai réécrit le texte de ce livre à la main, avant de le faire dactylographier. J'ai alors pris conscience que ma main gauche servait d'appui à ma main droite et rendait mon travail plus aisé. Essayez et vous verrez!

Regarder au loin est un mouvement subtil qui échappe souvent à la conscience. Savez-vous que pour aller chercher une information visuelle bien déterminée, il faut expirer en portant son regard au loin.

Souvent les gens veulent enregistrer l'information sans avoir pris le temps d'aller la chercher: ils inspirent l'image vers la conscience avant d'avoir expiré pour envoyer l'énergie jusqu'au point observé. Cela crée des tensions oculaires et déséquilibre l'énergie des méridiens situés autour des yeux (estomac, vessie, triple réchauffeur et vésicule biliaire).

C'est un peu comme si un pêcheur voulait attraper une truite, sans avoir lancé sa ligne à l'eau.

Faire un signe de tête (oui et non):

D'apparence très innocents, ces mouvements de la tête possèdent une puissance spéciale. Il existe deux manières de dire oui.

La première est un oui qui ne vient pas de la tête et du coeur, mais de la tête seulement. Pour dire un «oui» soumis, on penche d'abord la tête vers le bas et on la bouge ensuite de bas en haut.

Ce «oui» soumis est contraire au sens de la circulation de l'énergie. Il fait donc baisser l'énergie du champ vibratoire et empêche temporairement la personne de respirer normalement en vagues, c'est-à-dire d'expirer vers le haut.et d'inspirer vers le bas.

Il existe une deuxième façon de dire «oui». On lève d'abord la tête et on bouge ensuite la tête de haut en bas. Cette façon de dire oui est conforme aux lois de l'énergie qui monte vers le haut à l'avant du corps. Ce «oui» démontre l'harmonie qui existe entre la tête qui décide et le coeur qui motive. Observez des enfants et vous en serez vite convaincu.

On dit «non» en bougeant d'abord la tête à droite, puis à gauche. De cette façon, effectuez le geste avec le côté droit, côté positif du corps, comme vous le savez maintenant.

Circuit fermé:

Toutes les actions exécutées avec les mains gagnent à l'être en circuit fermé, ce qui signifie que les deux mains doivent travailler à proximité l'une de l'autre. Lorsque vous mangez ou brassez des aliments, observez que la main gauche tient l'assiette ou le bol tandis que la main droite effectue l'action.

Un circuit efficace de la main droite exige un soutien adéquat de la main gauche

Quand vous lisez, tenez le livre avec les deux mains; lorsque vous écrivez, posez la main gauche sur la feuille pendant que la main droite écrit.

Quand vous répondez au téléphone, vous économiserez beaucoup d'énergie si vous tenez le récepteur d'une main et posez l'autre sur le fil.

Suivez l'exemple des couturières et des tricoteuses qui exécutent leurs travaux en gardant constamment les deux mains en contact avec leur ouvrage.

Le circuit fermé a pour but de faciliter le passage de l'énergie entre les côtés négatif et positif du corps, ce qui permet d'éviter une dispersion et une perte d'énergie, tant au niveau superficiel qu'au niveau profond.

Vous obtiendrez plus de précision, ainsi que plus d'efficacité et plus de force dans vos gestes si vous vous appliquez à respecter le circuit fermé.

Conclusion

Au terme de ce voyage au coeur des énergies profondes du corps revivifiées par la réflexologie polarisée, je vous invite à explorer quotidiennement ce monde d'énergies subtiles. La connaissance des lois fondamentales de l'énergie vous permettra d'atteindre un niveau insoupçonné de santé, de bien-être et de vitalité.

Prenez l'habitude de consacrer cinq minutes le matin pour vous réveiller: fléchissez vos pieds vers vous, bouclez le méridien gouverneur et exécutez la danse des méridiens. Vous commencerez ainsi la journée du bon pied en mobilisant votre énergie d'action. Rien de tel pour vous mettre en forme pour la journée!

Le soir, dix minutes de réflexologie polarisée vous apporteront une détente inestimable et rétabliront le contact entre les circuits énergétiques défectueux, ce qui empêchera l'apparition de problèmes majeurs de santé. Massez d'abord vos pieds en accordant une attention spéciale aux points réflexes douloureux, puis massez les points réflexes des mains et finissez par la tête.

La boucle du méridien central et les mouvements de polarité de la tête vous disposeront à dormir paisiblement et profondément. Si, à la fin de la journée, vous êtes fébrile et surexcité, commencez par masser la tête, puis les mains et enfin les pieds.

Que l'énergie universelle guide vos mains, votre coeur et votre tête dans l'utilisation parfaite de la réflexologie polarisée! Je vous souhaite beaucoup de joie et de satisfaction dans l'application de ces moyens qui vous permettront de devenir l'artisan de votre propre bien-être.

Bonne santé et bonne réflexologie!

BIBLIOGRAPHIE

Andersen, Lis, **L'acumassage**, Éditions Guy St-Jean, Laval, Québec, 1892.

Borsarello, Jean, **Acupuncture**, Masson, Paris, 1979.

Byers, Dwight C., **Better Health with Foot Reflexology**, Ingham Publishing, Florida, 1983.

Capra, Fritjof, **Le tao de la physique**, Éditions Tchou, Paris, 1979.

Carter, Mildred, **Body Reflexology**, Parker Publishing, West Nyack, New York, 1983.

Charon, Jean E., **Mort voici ta défaite**, Albin Michel, Paris, 1979.

Dervieux, Dominique, **Dangers et miracles des boucles d'oreilles**, Éditions Buchet/Chastel, Paris, 1984.

diVilladorato, Massimo N., **Manupuncture**, Éditions Guérin, Montréal, 1980.

Dropsy, Jacques, **Vivre dans son corps**, Éditeurs Epi, Paris, 1973.

Fontaine, Janine, **La médecine du corps énergétique**, Éditions Robert Laffont, Paris, 1983.

Gach Reed, Michael, **Acu-yoga**, Japan Publications, distribué par Harper and Row, New York, 1981.

Grigorieff, Gheorghii, **Guide pratique de l'acupuncture à l'acupressing**, Collection Marabout distribué par A.D.P., Montréal, P.Q., 1980.

Hadès, **L'approche de soi et la divination par le Yi-King**, Éditions Niclaus, Paris, 1980.

Kapel, Priscilla, **The Body Says Yes**, A.C.S. Publications, San Diego, California, 1981.

Kushi, Michio, **Le livre de la macrobiotique**, Éditions de la Maisnie, Paris, 1980.

Kushi, Michio, **Le livre du Do-In**, Éditions de la Maisnie, Paris 1978.

Lacroix, Jean-Claude, **101 réponses sur l'acupuncture**, Éditions Hachette, 1981.

Lavier, Jacques André, **Médecine chinoise, médecine totale**, Éditions Sélect, Montréal, 1982.

Lowen, Alexander et Leslie, **Pratique de la bio-énergie**, Éditions Sélect, Montréal, 1978.

Marks Mary, **Touch for Health Workbook**, T.H. Enterprises, California, 1982.

Marquardt, Hanne, **Reflex Zone Therapy of the Feet**, Thorsons Publishers, Northamptonshire, 1983.

Muller-David, M.-F., **Les réflexothéraphies: comment masser les zones réflexes de votre corps**, Éditions Retz, Paris, 1981.

Rioux, Yuki, **Shiatsu et sensualité**, Les Éditions de l'Homme, Montréal, 1983.

Rofidal, Jean, **Do.In**, Éditeur Marcel Broquet, Diffusions Liaisons, Verdun, Montréal, 1978.

Stone, Randolph, **Théorie et pratique de la polarité**.

Teeguarden, Iona, **Acupressure Way of Health, Jin Shin Do**, Japan Publication, Tokyo, 1978.

Thie, John F., **La santé par le toucher**, Éditions des Sciences Holistiques, Genève, 1983.

West, Ouida, **La magie du massage**, Éditions de Mortagne, Boucherville, 1984.

Ami lecteur,

Avant de refermer ce livre, faites-moi le plaisir de répondre à quelques interrogations, lesquelles pourraient aider notre évolution. Merci!

Quelle(s) page(s) de ce volume a (ont) davantage retenu votre attention?

Pourquoi?

Y a-t-il un (ou des) point(s) précis qui vous a (ont) aidé à solutionner un problème de santé?

Lequel?

Quel(s) commentaire(s) aimeriez-vous ajouter?

Merci, ami, et bonne santé à tous.

Retourner à:

Madeleine Turgeon,
a/s des Éditions de Mortagne,
171, boul. de Mortagne,
Boucherville, P.Q.
J4B 6G4
Canada.

INDEX
ALPHABÉTQUE

Lithographié au Canada
sur les presses de
Metrolitho inc. – Sherbrooke

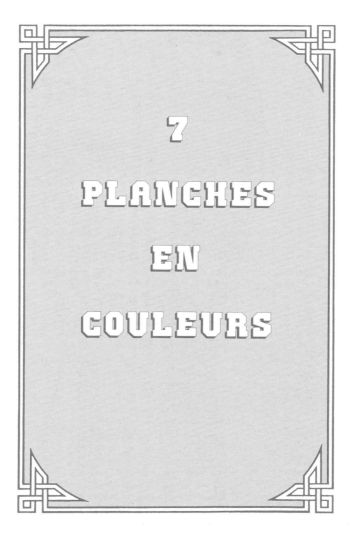

7

PLANCHES

EN

COULEURS

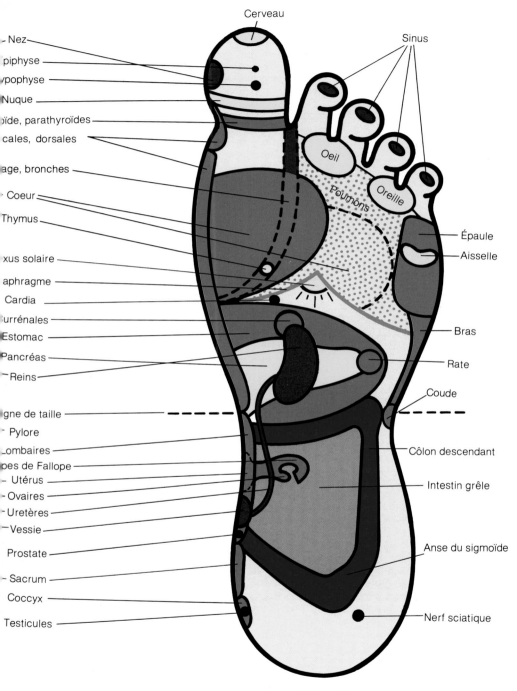

Cerveau

Sinus

Nez

piphyse

ypophyse

Nuque

oïde, parathyroïdes

cales, dorsales

age, bronches

Coeur

Thymus

xus solaire

aphragme

Cardia

urrénales

Estomac

Pancréas

Reins

gne de taille

Pylore

Lombaires

pes de Fallope

Utérus

Ovaires

Uretères

Vessie

Prostate

Sacrum

Coccyx

Testicules

Oeil

Poumons

Oreille

Épaule

Aisselle

Bras

Rate

Coude

Côlon descendant

Intestin grêle

Anse du sigmoïde

Nerf sciatique

Pied gauche

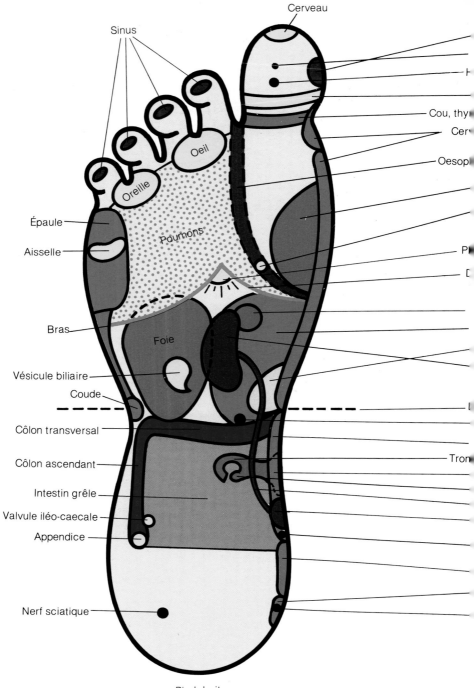

Cerveau

Sinus

Cou, thy▮

Cer▮

Oesop▮

Oeil

Oreille

Épaule

Aisselle

Poumons

P▮

D▮

Bras

Foie

Vésicule biliaire

Coude

Côlon transversal

Côlon ascendant

Tron▮

Intestin grêle

Valvule iléo-caecale

Appendice

Nerf sciatique

Pied droit

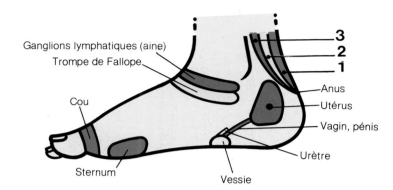

1. Rectum
2. Sciatique
3. Lymphe reliée au bas du dos et aux organes génitaux

Ganglions lymphatiques (aine)
Trompe de Fallope
Cou
Sternum
Vessie
3
2
1
Anus
Utérus
Vagin, pénis
Urètre

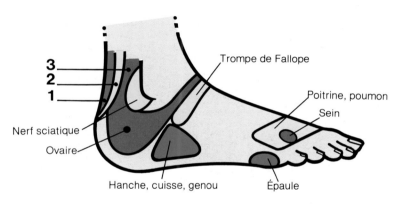

3
2
1
Nerf sciatique
Ovaire
Hanche, cuisse, genou
Trompe de Fallope
Poitrine, poumon
Sein
Épaule

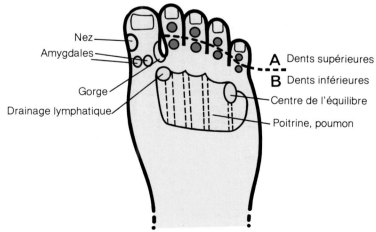

Nez
Amygdales
Gorge
Drainage lymphatique
A Dents supérieures
B Dents inférieures
Centre de l'équilibre
Poitrine, poumon

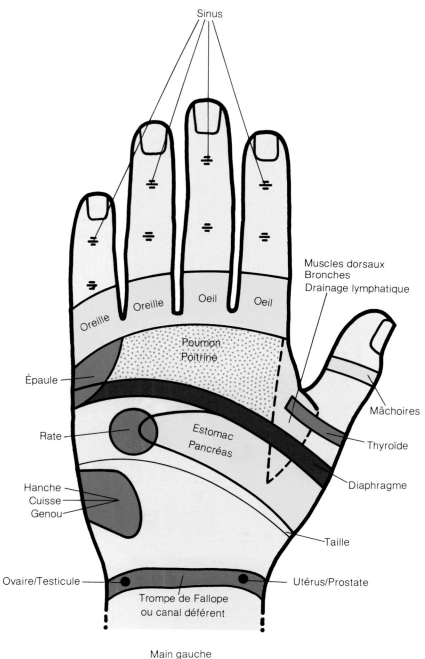

Sinus

Muscles dorsaux
Bronches
Drainage lymphatique

Oreille Oreille Oeil Oeil

Poumon
Poitrine

Épaule

Mâchoires

Rate

Estomac
Pancréas

Thyroïde

Hanche
Cuisse
Genou

Diaphragme

Taille

Ovaire/Testicule

Utérus/Prostate

Trompe de Fallope
ou canal déférent

Main gauche
Face dorsale

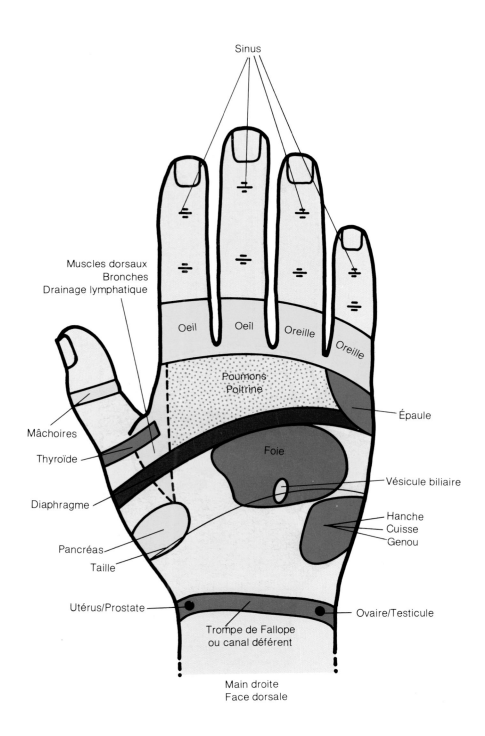

Sinus

Muscles dorsaux
Bronches
Drainage lymphatique

Oeil   Oeil   Oreille   Oreille

Poumons
Poitrine

Épaule

Mâchoires

Thyroïde

Foie

Vésicule biliaire

Diaphragme

Hanche
Cuisse
Genou

Pancréas

Taille

Utérus/Prostate

Ovaire/Testicule

Trompe de Fallope
ou canal déférent

Main droite
Face dorsale